Walk around the ocean breeze,
YOKOHAMA!
COLOR+ PLUS
YOKOHAMA

JN027035

Ready to go!

グッドモーニング！
今日はナニスル？

#海鳥と日本郵船氷川丸 »P.57

#バラと山下公園 »P.23

#みなとみらい »P.38

#日本初上陸！ »P.77

#レトロな赤レンガ »P.34

ヒラケ！
ヨコハマ・
タイカン・
ジャーニー！

#朝食はパンで »P.86

#幸せの鐘 »P.34

#おしゃれなベーカリー »P.87

ヘルシーは大事。
だけど、
ボリュームも！

#横浜港が見えるカフェ >>P.70

ぼくら王道&ニューフェイス！

中華も洋食も、おいしいもの、そろいました。

(右から) 宝石のようなスイーツが自慢の「パティスリー パブロフ」(>>P.72)、昔ながらの洋食が楽しめる「ザ・カフェ」(>>P.64)、アツアツの揚げパン、マラサダが人気の「レナーズ 横浜ワールドポーターズ店」(>>P.77)、ギフトにおすすめ「旅するコンフィチュール」(>>P.90)

白い砂浜と、真っ青な空
こんな場所があるなんて。

#横浜のリゾート ››P.28

（右上から）本格的な中国茶が飲める「悟空茶荘」（»P.27）、水族館で癒されたい人は「横浜・八景島シーパラダイス」へ（»P.110）、おしゃれな店内でティータイムが楽しめる「パティスリー パブロフ」（»P.72）、チョコレート専門店でおみやげを「シルスマリア シァル桜木町店」（»P.89）、甘いガレットでひと息「Teafanny」（»P.28）

きらめくステンドグラスがロマンティック。

#ときめきの空間 »P.58

さぁ、明日は
何に出会えるかな。

#まばゆい夜景が広がる »P.30

(右から)「横浜みなとみらい万葉倶楽部」の足湯でリラックスタイム(»P.112)、横浜中華街は夜もにぎやか!(»P.42)、美しくライトアップされた「神奈川県庁本庁舎」(»P.59)、夜景レストランでゆったりとディナーを「インターナショナル キュイジーヌ サブゼロ」(»P.78)

CONTENTS

Yokohama

052 | 071 | 072 | 073 |

077 | 091 | 100 | 110 |

Healing
ココロのリセット承ります

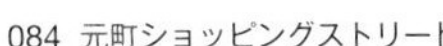

Shopping
ほしいものあります

Discovery
新しい発見に出会える旅

Experience
日常を離れて感動体験を

Gourmet
おいしいもの、そろってます

B-side

icon
電話番号　休業・休館日　営業・開館時間　料金　所在地
アクセス　駐車場　MAP 地図掲載ページ　予約がおすすめ

※本書のご利用にあたりましては、P.126の〈ご利用にあたって〉をご確認ください。

アニヴェルセルカフェ »P.19

faro terrace »P.100

VANILLABEANS みなとみらい本店 »P.88

悟空茶荘 »P.27

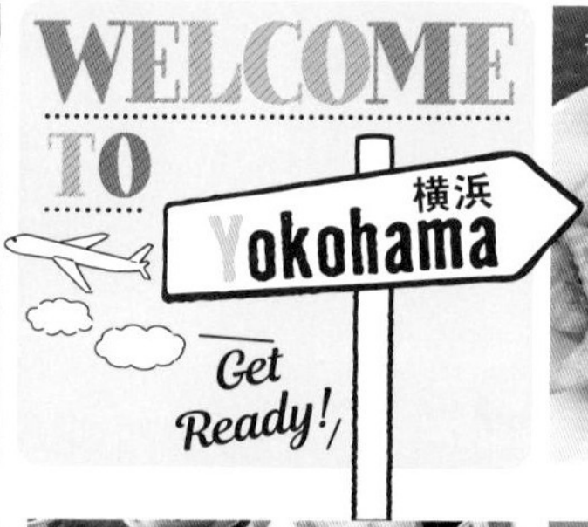

PatyCafe »P.70

開華楼 »P.43

重慶茶樓本店 »P.45

横浜港大さん橋 国際客船ターミナル »P.52

PICK UP!

ショップ

おいしいベーカリー » P.86

テイクアウトでおいしいパンを食べたい！

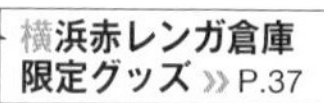

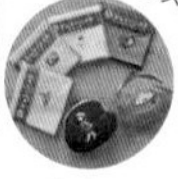

横浜赤レンガ倉庫限定グッズ » P.37

ここでしか買えない、限定グッズを手に入れよう。

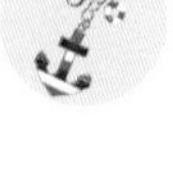

マリンテイストGOODS » P.92

横浜らしさを持ち帰り♪マリングッズをゲット！

グルメ

横浜中華街 » P.42

マストで行きたい横浜の王道グルメといえば、横浜中華街でしょ！

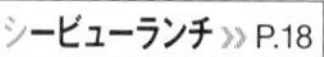

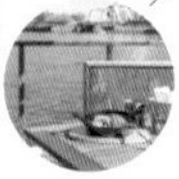

シービューランチ » P.18

港町・横浜を満喫できるおすすめのシービューレストランはこちら。

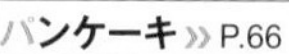

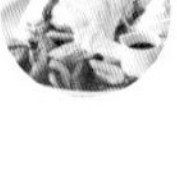

パンケーキ » P.66

定番スイーツ、パンケーキも勢ぞろい。ふわふわ食感を体感しよう！

さんぽ

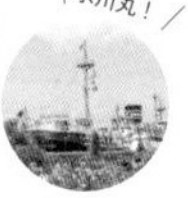

山下公園 » P.23

横浜港に面した海沿いの公園は、のんびりさんぽするのにぴったり♪

山手西洋館 » P.54

山手エリアには異国情緒あふれる洋館が点在。歴史を感じる洋館めぐりを。

横浜三塔 » P.58

横浜に点在するクラシック建築・横浜三塔は見ているだけでワクワク♪

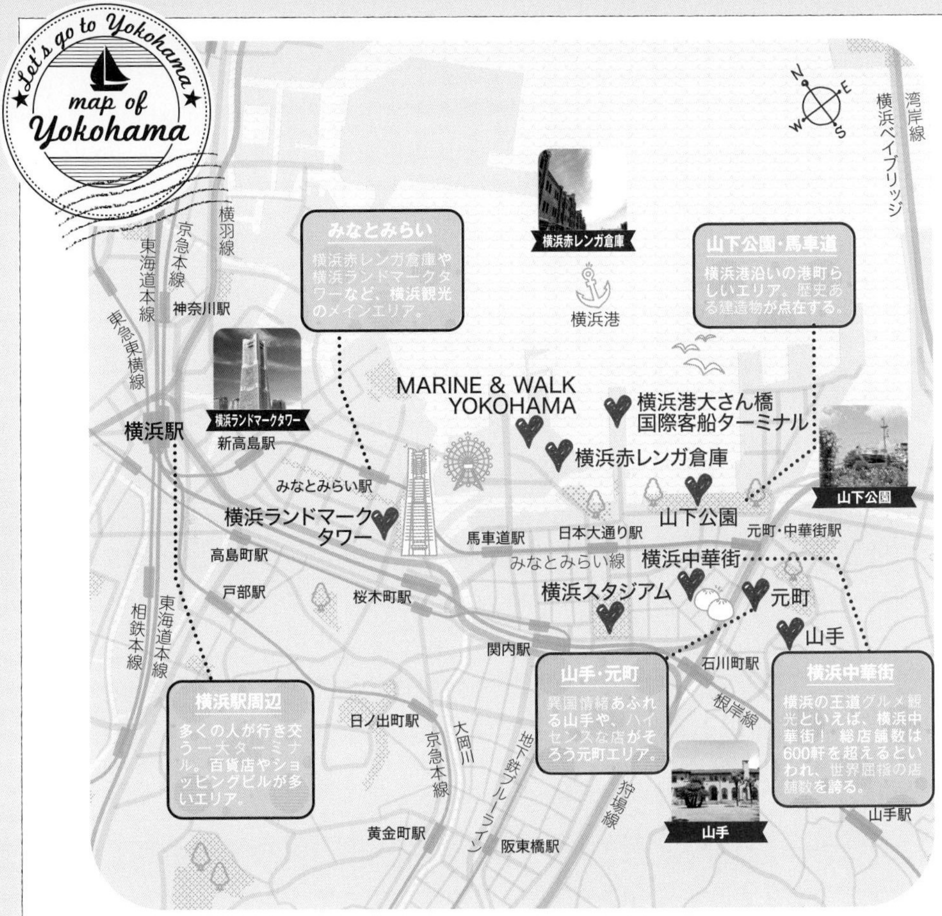

Let's go to Yokohama

map of Yokohama

みなとみらい
横浜赤レンガ倉庫や横浜ランドマークタワーなど、横浜観光のメインエリア。

山下公園・馬車道
横浜港沿いの港町らしいエリア。歴史ある建造物が点在する。

横浜駅周辺
多くの人が行き交う一大ターミナル。百貨店やショッピングビルが多いエリア。

山手・元町
異国情緒あふれる山手や、ハイセンスな店がそろう元町エリア。

横浜中華街
横浜の王道グルメ観光といえば、横浜中華街！ 総店舗数は600軒を超えるといわれ、世界屈指の店舗数を誇る。

横浜赤レンガ倉庫
横浜港
横浜ランドマークタワー
山下公園
山手
MARINE & WALK YOKOHAMA
横浜港大さん橋国際客船ターミナル
横浜赤レンガ倉庫
横浜ランドマークタワー
山下公園
横浜中華街
横浜スタジアム
元町
山手
横浜駅
新高島駅
みなとみらい駅
馬車道駅
日本大通り駅
元町・中華街駅
高島町駅
戸部駅
桜木町駅
関内駅
石川町駅
日ノ出町駅
黄金町駅
阪東橋駅
山手駅
神奈川駅
みなとみらい線
東海道本線
京急本線
横羽線
東急東横線
相鉄本線
根岸線
地下鉄ブルーライン
狩場線
大岡川
湾岸線
横浜ベイブリッジ

旅のキホン

横浜の観光エリアは大きく分けて5つ。各エリア同士が比較的近く、徒歩での移動も便利なのが特徴。事前に位置関係を把握して、効率よく観光を楽しもう！

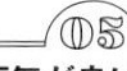

05 天気が良い日はレンタサイクルが人気

平坦な道が多いエリアも多く、移動は自転車でもOK！ シェアサイクルシステム「baybike」(P.12)なども使って身軽に移動しよう。

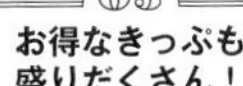

03 お得なきっぷも盛りだくさん！

「横濱中華街・旅グルメきっぷ」や、「みなとぶらりチケット」など、中心部を観光するのに便利なきっぷもたくさん。事前にチェックしておこう。

01 横浜観光をするなら1泊2日がおすすめ

各エリアは歩いても行ける距離ではあるけれど、1日で全部をまわるのは少し大変。2エリア、3エリアなど、2日間に分けて観光するのがベター。

06 横浜ならではのクルーズ船で海上さんぽ

クルーズは海が目の前にある港町・横浜ならではの楽しみ。ナイトクルーズ(P.98)や「シーバス」(P.99)で海上さんぽを満喫しよう！

04 主要エリアは観光周遊バスを活用

主要な観光スポットをつなぐように走る観光系バスを活用するのもおすすめ。「観光スポット周遊バスあかいくつ」などがある。(P.123・付録P.17)

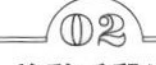

02 移動手段はみなとみらい線がキホン

横浜駅から元町・中華街駅まで、移動の基本はみなとみらい線を利用しよう。「みなとみらい線一日乗車券」などのお得なきっぷもある。

桜や紅葉の時季がおすすめ

横浜には大きな公園や、桜、イチョウ並木など、自然もいっぱい。四季折々の自然の移り変わりを感じるのも観光の楽しみのひとつ！

画像提供：横浜観光情報

豪華絢爛な春節！

毎年1月下旬頃～2月中旬頃に横浜中華街で開催される、旧暦の正月を祝う伝統行事。爆竹や太鼓の音が鳴り響き、色鮮やかな中国獅子や龍が舞い踊る華やかなイベント。

HP https://www.chinatown.or.jp/contact/（横浜中華街発展会協同組合）

三輪自転車タクシー、シクロポリタン

シクロ（三輪車）＋メトロポリタン（市民）をかけ合わせた次世代の三輪自転車タクシー。環境にやさしく、街の空気を感じながら乗れる。

☎045-228-3380（シクロポリタン横浜）
休 悪天候時　営 10:00～20:30
¥ 初乗り400円、定められた地点（ポイント）を通過するごとに100円を加算
HP http://cyclopolitain-yokohama.jp/

チャーミングセール期間は大混雑！

2月と9月に毎年行なわれる元町ショッピングストリートの恒例セール。アパレルをはじめ、雑貨などさまざまなジャンルの会員店約230店舗が参加して特別プライスで商品を購入できる。

おみやげに最適な横浜限定グッズ

横浜みやげを買うならここでしか手に入らない限定グッズがおすすめ。横浜赤レンガ倉庫や横浜マリンタワーなどをモチーフにしたグッズはプレゼントにも最適！

観光スポット周遊バス「あかいくつ」が便利！

横浜の主要な観光スポットをめぐる観光スポット周遊バス。横浜赤レンガ倉庫、横浜中華街、元町、港の見える丘公園などへ行く。かわいらしいアーチ状の窓は必見。（»付録P.17）

☎045-664-2525（横浜市コールセンター）
休 無休　営 10:02～18:02、土・日曜、祝日は10:02～18:32（桜木町駅前発）
※20分間隔で運行（土・日曜、祝日は約15分間隔）　¥ 220円、小人110円
HP https://www.city.yokohama.lg.jp/kotsu/bus/norikata/akaikutsu.html

横浜発祥グルメはマストで食べたい！

マストで食べておきたいのが"横浜発祥"のグルメ。「ナポリタン」や「シーフードドリア」、「プリン・ア・ラ・モード」など、横浜開港当時から伝わる伝統の味を堪能しよう。

日曜日は日本大通りが歩行者天国に

2018年10月から毎週日曜の9～17時は県庁前の区間が歩行者天国に。日本大通りは日本初の西洋式街路としても有名で、さんぽにぴったり！

自転車でらくらく！ baybike

アプリ・WEBから登録すると、街なかにある約140か所のサイクルポートで利用できるシェアサイクル。みなとみらい、山下公園エリアの観光に便利！

☎0570-783-677
休 無休
営 24時間（一部のポートは異なる）
¥ 1回30分165円～　※登録料無料／スマートフォン、PCから登録可
HP http://docomo-cycle.jp/yokohama

街中がきらめく イルミネーションの季節（12月〜2月）

シービューが気持ちいい！（8月〜9月）

3月	2月	1月	12月	11月	10月	9月	8月	7月	6月	5月	4月

四季の花

- 桜（野毛山公園・さくら通り・汽車道）
- チューリップ（横浜公園・日本大通り）
- バラ（横浜イングリッシュガーデン・山下公園・港の見える丘公園）
- アジサイ（三溪園）
- コスモス（横浜イングリッシュガーデン）
- バラ（横浜イングリッシュガーデン・山下公園・港の見える丘公園）
- モミジ（三溪園）
- イチョウ（三溪園、山下公園）
- ツバキ（三溪園）
- 梅（三溪園）

4月上旬には桜が見ごろを迎える。みなとみらいエリアは桜の名所となっており、さんぽを楽しみながら花見ができる。

画像提供：横浜観光情報

横浜市の花であるバラは5月中旬と10月中旬にピークを迎え、山下公園や港の見える丘公園など、いたるところに植えられている。

画像提供：横浜観光情報

山下公園通りや日本大通りなど、イチョウが美しく色づく。海風が肌寒く感じる時季なので、防寒対策を。

	3月	2月	1月	12月	11月	10月	9月	8月	7月	6月	5月	4月
日の出	6:12	6:41	**6:50**	6:31	6:02	5:36	5:13	4:49	4:29	**4:28**	4:51	5:29
日の入	17:36	17:09	16:39	**16:29**	16:47	17:26	18:10	18:46	**19:01**	18:51	18:27	18:02
気温 max	14	10.8	10.2	12.5	17.1	22	27.3	31	29.4	25.5	23.1	18.9
気温 min	6	3.1	2.7	5.2	10.1	15.7	21	24.3	22.9	19.1	15.5	10.7

3月	2月	1月	12月	11月	10月	9月	8月	7月	6月	5月	4月

空気が澄んでいる冬の間は、昼はもちろん、夜景もきれいに見える。展望台なら寒さもしのげておすすめ。

冬は海風が冷たく寒いので防寒対策は必須だが、イルミネーションで街中がロマンティックな雰囲気に。

夏休みシーズンはどこも観光客で非常に混雑するので、人気の店は事前に予約をしておくのがベター。

みなとみらいエリアは駅直結の商業施設が多く、梅雨の時季でも雨にぬれる心配をせず楽しめる。

季節のイベント

- **12月** 初旬〜2月中旬 ●みなとみらい **アートリンク in 横浜赤レンガ倉庫**
- **1月** 下旬頃〜2月中旬頃 ●横浜中華街 **春節（旧暦元旦）**
- **2月** 下旬 ●元町 **元町チャーミングセール**
- **9月** 下旬●元町 **元町チャーミングセール**
- **10月** 上旬●みなとみらい **横浜 オクトーバーフェスト**
- **12月** 1〜25日●山手 **横浜山手西洋館 世界のクリスマス**
- **6月** 上旬〜7月上旬 ●横浜市内 **横浜フランス月間**
- **7月** 中旬●山下公園・馬車道 **横浜スパークリング トワイライト**
- **8月** 8月初旬 ●横浜中華街 **横浜中華街 関帝誕**
- **4月** 下旬●野毛 **野毛大道芸**
- **5月** 3日●山下公園・馬車道 **ザよこはまパレード（国際仮装行列）**
- **6月** 上旬●みなとみらい **横浜開港祭**

※日の出、日の入は神奈川県の2023年各月1日のデータ（国立天文台HPより）、平均気温は1991〜2020年平均データ（気象庁HPより）です。イベントデータは2024年1月現在の情報で、中止・変更される場合がありますので事前にご確認ください。

横浜 Yokohama
1泊2日フルスロットル 横浜の今を楽しみ尽くす！
Let's Go!
横浜まるごと大満足 PLAN
王道スポットから、今アツイ旬のスポットまで、効率よくまわるプランをチェック！
1日目 みなとみらい＆海沿いの王道コース
POINT
みなとみらいから山下公園エリアへと向かう王道コース。海沿いを歩けるのでさんぽにも最適。
10:00 みなとみらい線みなとみらい駅5番出口
10:15 港町スポットを散策
柳原良平アートミュージアム ≫P.60
帆船日本丸 ≫P.56
白い帆がたなびく横浜のシンボル！
Lunch!
11:30 シービューレストランでランチタイム
アニヴェルセルカフェ ≫P.19
横浜港ボートパーク Hemingway Yokohama ≫P.19
13:00 横浜赤レンガ倉庫でショッピング
日本百貨店あかれんが ≫P.37
SOUVENIR GALLERY ≫P.37
Sweets!
14:00 おしゃれカフェでティーブレイク
Merengue みなとみらい店 ≫P.66
ふわふわのパンケーキ
横浜港大さん橋国際客船ターミナル ≫P.52
大パノラマの絶景が広がる！
15:30 海の見える公園でぶらりさんぽ
RHC CAFE MINATO MIRAI ≫P.69
Dinner!
17:00 夜景のきれいなレストランでディナー
夜景もおすすめ！
インターナショナルキュイジーヌ サブゼロ ≫P.78
横浜みなとみらい万葉倶楽部 ≫P.112
大迫力の大観覧車の夜景が目の前に！
19:00 夜景×足湯でリラックスタイム
20:30 横浜市内のホテルに宿泊
2日目は 横浜中華街 山手・元町 をチョイス！
good night!

【コース1】
満腹！ 王道・横浜中華街グルメコース
横浜といえば中華街ははずせない！ 絶品グルメを堪能。
2日目
横浜のチャイナタウンを食べ尽くす!
POINT
グルメを満喫したい人におすすめの横浜中華街をめぐるコース。"おいしい"がめじろ押し！
Breakfast
9:00 中華街食べ歩きグルメで軽めの朝ごはん
鵬天閣新館 ≫P.42
10:30 横浜中華街のシンボルへ参拝
参拝スポット♪
横浜関帝廟 ≫P.50
Lunch!
11:30 飲茶で大満足ランチ♪
大珍楼 ≫P.44
横浜大飯店 ≫P.45
13:30 中華街でテイクアウトグルメを堪能
紅棉 ≫P.42
14:30 チャイナタウンのフォトジェニックスイーツ
ブラスリー ミリーラ・フォーレ ≫P.27
16:30 みなとみらい線元町・中華街駅2番出口
【コース2】
山手・元町のハイカラ横浜コース
おしゃれな気分に浸りたい人にはこちらがおすすめ♪
2日目
山手・元町エリアでおしゃれな横浜を見つける
POINT
異国情緒を感じる山手やおしゃれな雑貨店がそろう元町エリアをめぐるならここ！
Breakfast
9:00 元町の人気ベーカリーでのんびり朝ごはん
パン職人オーナーの手作りバンズが絶品
PatyCafe ≫P.70
10:30 元町ショッピングストリートでお買い物
Lunch!
12:00 名店で優雅なランチ
横浜元町 竹中 ≫P.84
山手十番館 レストラン&カフェ ≫P.20
とってもおいしそう！
仏蘭西料亭 横濱元町 霧笛楼 ≫P.65
14:00 山手で洋館散策
洋館めぐり！
16:00 洋館カフェでティータイム
ベーリック・ホール ≫P.54
洋館カフェでひと息♪
えの木てい ≫P.21
17:30 JR石川町駅

Teafanny
ティファニー
»P.28

真っ白な砂浜に映える
カラフルなドリンク。
フォトジェニックな風景と
おいしいものが勢ぞろい♪

Special 1

青空と海とおいしいごはん!

港町×シービューランチで横浜を満喫!

横浜ならではのシービューが自慢の店でランチを楽しむならここ! 抜群のロケーションが広がります♪

目の前には#みなとみらいの絶景が! #抜群のロケーションでランチを堪能

みなとみらいや横浜港を見渡す絶好のロケーションが広がるカフェやレストランで、のんびりランチを楽しみたい。そんなときに訪れたい3軒のおすすめ店をご紹介!

目の前に運河が広がる開放的なテラス席や海を一望する船の中のようなダイニングなど、横浜にはさまざまなタイプのシービューが。景色とともに絶品ランチで優雅なひとときを♪

cafe & dining blue terminal

カフェアンドダイニングブルーターミナル

海に突き出した横浜港大さん橋 国際客船ターミナル内にあり、まるで船の中のような景色を楽しめるカフェダイニング。地元食材を使ったメニューが味わえる。

山下公園・馬車道 ▶ MAP 付録 P.8 B-1

☎045-227-8227 休不定休 営11:00〜19:00(閉店は20:00)、土・日曜、祝日は〜20:00(閉店は21:00) 所横浜市中区海岸通1-1-4 横浜港大さん橋 国際客船ターミナル2階 交みなとみらい線日本大通り駅3番出口から徒歩7分 P400台

tips
一面大きなガラス窓で、横浜ベイブリッジや山下公園が見える!

1. 特注バンズに2枚の豚バラ肉を豪快に挟んだハンバーガーはボリューム満点! 2. 座りごこちのいい窓際のソファー席が人気。大きな窓で開放的な店内

ブルーターミナルバーガー ¥1,870

行き交う船を眺めながらグルメバーガーに舌鼓

Hamburger

アニヴェルセルカフェ

結婚式場に併設されたみなとみらいエリア屈指の人気カフェ。みなとみらいの風景が目の前に広がる贅沢なロケーションで、気軽に優雅な時間を楽しめる。ランチやティータイム、記念日のディナーなどにおすすめ。

みなとみらい ▶ MAP 付録 P.7 C-2

☎045-640-5188 休 火・水曜(祝祭日の場合は営業) L 11:00～16:00(閉店は17:00)、土・日曜、祝日は11:00～20:00(閉店は21:00) 横浜市中区新港2-1-4 みなとみらい線みなとみらい駅5番出口から徒歩7分 P なし

Blue sky!

1. 運河に面したカフェは赤いテントが目印
2. 店内は白を基調としたさわやかな雰囲気

RECOMMEND

数量限定だから早めの来店がおすすめ!

Lunch

ホールケーキプレート

赤ワインと香味野菜でじっくり煮込んだハッシュドビーフ ¥1,540

フェア デザートプレート ¥1,870

3. 記念日にぴったりのメッセージ付きホールケーキ。誕生日などの記念日はもちろん、デートや女子会で利用するのもおすすめ 4. 数量限定のハッシュドビーフ。じっくりと煮込んだ牛肉はとろけるようなやわらかさ 5. 季節によって内容が変わるデザートプレート

tips
運河沿いのテラス席からみなとみらいを一望
天気が良い日は運河に面したテラス席がおすすめ。みなとみらいのビル群を一望できる絶好のロケーション

横浜港ボートパーク Hemingway Yokohama

よこはまこうボートパークヘミングウェイヨコハマ

会員制マリンレジャークラブ「横浜港ボートパーク」のクラブハウス内の海上カフェ。海や船にまつわるオブジェで店内は埋め尽くされている。

みなとみらい ▶ MAP 付録 P.7 C-3 C R

☎045-900-1449
休 無休 L 11:00～21:00(閉店は22:00)
横浜市西区みなとみらい2-1-1 横浜港ボートパーク JR桜木町駅南改札東口から徒歩5分 P なし

海上に浮かぶおしゃれなカフェ&バー

観覧車も目の前に!

ベーグルフレンチトースト ¥1,000

tips
海に浮かぶ海上カフェ。目の前はみなとみらい、後ろには日本丸が

1. 野菜たっぷりの「チキンスープカレー」¥1,300を食べながら、みなとみらいの風景を楽しもう 2. 横浜港ボートパーク内にありビジター利用も可能 3. カリカリ&モチモチ食感のベーグルフレンチトースト

優雅な時間が流れる 洋館カフェ×スイーツでリラックスタイム

ゆったりとした時間が流れる山手の洋館カフェ。喧騒から離れ、少しだけリッチな気分でリラックス……

歴史ある洋館が建ち並ぶ山手エリアには、まるで絵本の中に登場するようなロマンティックなカフェが点在する。異国情緒あふれるカフェは、まるで外国人居留地だった開港時代にタイムスリップしたよう。美しいステンドグラスや重厚なアンティーク家具に囲まれて、優雅な時間の流れに浸り、日常を忘れよう。

ステンドグラスきらめく洋館でゆったりティーブレイク

Photogenic

OTHER MENU

2 完熟トマトと赤ワインのハヤシライス ¥1,280

3

4

1. オーブンで蒸し焼きにした昔ながらの正統派カスタードプリン　2. トマトの酸味が効いたハヤシライスは14時までの限定メニュー　3. 緑に囲まれた美しい洋館　4. 2階のレストランからは横浜のビル群も見える

山手十番館 レストラン&カフェ

やまてじゅうばんかんレストランアンドカフェ

50年以上前に明治100年を記念して建てられた「山手十番館」。1階は気軽に立ち寄れるティールーム、2階はランチ・ディナーで利用できるフレンチレストランとして営業する。レトロな建物で、観光名所としても人気。

山手・元町 ▶ MAP 付録 P.10 B-1

045-621-4466　休 月曜(祝日の場合は翌平日休)
1階カフェ11:30〜15:00(閉店は16:00)、2階レストラン11:30〜14:00(閉店は15:00)、17:00〜19:00(閉店は21:00)　横浜市中区山手町247　みなとみらい線元町・中華街駅6番出口から徒歩8分　P なし

えの木てい

えのきてい

OTHER MENU

2
紅茶のシフォンケーキ
¥748

昭和初期に建造されたイギリス様式の洋館カフェ。150年以上昔のアンティーク家具など、古きよき横浜の雰囲気が残る。天気が良い日はテラス席もおすすめ。

山手・元町 ▶ MAP 付録 P.10 B-2

045-623-2288　休 無休
12:00～17:00(閉店は17:30)、土・日曜、祝日は11:30～17:30(閉店は18:00)
横浜市中区山手町89-6　みなとみらい線元町・中華街駅6番出口から徒歩8分　P 3台

Luxurious time

1. 季節のスイーツやスコーンと紅茶のプチアフタヌーンティセット　※平日限定、予約不可　2. アールグレイの風味豊かなシフォンケーキ　3. 趣のあるアンティーク調の店内　4. かわいらしいたたずまいの洋館

ティールーム霧笛

ティールームむてき

OTHER MENU

2
ハムとチーズのサンドイッチ
¥1,210

「大佛次郎記念館」に併設されたカフェ。大佛夫人のオリジナルレシピで作られている「自家製半生チーズケーキ」は、ティールームオープン当時からイチオシの人気メニュー。

山手・元町 ▶ MAP 付録 P.10 B-1

045-622-3781　休 月・火曜(祝日の場合は翌日休)
10:30～17:30　横浜市中区山手町113
みなとみらい線元町・中華街駅6番出口から徒歩7分
P なし

Lunch time

1. ここでしか味わうことのできないチーズケーキ　2. 軽くトーストしたパンと具材の食感の違いを楽しめる　3. 個性的な猫たちがいたるところでお出迎え。猫グッズも販売している　4. 店内はアットホームな雰囲気

Special 3

花と緑に囲まれて……

バラ×ガーデンの癒やしの風景

色とりどりのバラに囲まれてロマンティックな気分になれる、すてきなガーデンがあります

横浜市の花でもあるバラは、市内のあちらこちらの公園に植えられ、訪れる人を楽しませてくれる。横浜イングリッシュガーデンのバラのトンネルや、洋館をバックに咲き誇る美しいバラ園はとってもフォトジェニックで、うっとりしてしまう空間。まるでおとぎの国に迷い込んだ少女になった気分♪

見ごろ 5月上旬、10月中旬

バラのトンネルをくぐってロマンティックな気分に

Romantic

とってもきれいなバラのアーチ

横浜イングリッシュガーデン

横浜イングリッシュガーデンにある全長50m以上ある「ローズトンネル」。ローズトンネルがいちばん見ごろになるのは5月下旬頃。※2023年5月撮影

見ごろ 5月中旬、10月中旬

バラ以外にも年間を通してさまざまな花々を楽しめる。四季によって移り変わる景色も見どころのひとつ。

PHOTO SPOT

色鮮やかなバラと氷川丸のコラボ!

「未来のバラ園」と名付けられた花壇は氷川丸をバックに花を観賞できる。

山下公園

やましたこうえん

横浜港沿いに広がる公園。園内にある沈床花壇には約160種類、1900株のバラが植えられ、春と秋が見頃。みなとみらいの景色を眺めながらさんぽする人や、広い芝生広場でピクニックする人でにぎわっている。

山下公園・馬車道 ▶ MAP 付録 P.9 C-1

☎045-671-3648(横浜市都心部公園担当) 入園自由 横浜市中区山下町279 みなとみらい線元町・中華街駅4番出口から徒歩3分 P222台

港の見える丘公園

みなとのみえるおかこうえん

横浜ベイブリッジが望める山手の展望名所。ガーデンには約470種、1900株のバラが植えられている。横浜市イギリス館(»P.55)を背景にして、英国風の庭をテーマに、四季を通してさまざまなバラが咲き誇る。

山手・元町 ▶ MAP 付録 P.10 B-1

☎045-671-3648(横浜市都心部公園担当)
入園自由(フランス山地区は夜間閉門)
横浜市中区山手町114 みなとみらい線元町・中華街駅6番出口から徒歩5分 P17台

PHOTO SPOT

イングリッシュローズの庭

横浜市イギリス館前にあるバラ園。約190種、800株のバラが楽しめる。

見ごろ 5月中旬、10月中旬

横浜市イギリス館の白い外壁に鮮やかなバラが映える。ほかにも大佛次郎記念館前の香りの庭など、見どころ満載

PHOTO SPOT

ローズ&ペレニアルガーデン

白バラを中心に白い色の花々を集めたピュアな印象のガーデン。「プリンセス・オブ・ウェールズ」などのバラが美しく咲く。

アプリコットやブロンズのバラを中心に、アンティークな印象の「ローズ&グラスガーデン」に植えられているバラの多くはスパイス系やティー系の香り

横浜イングリッシュガーデン

よこはまイングリッシュガーデン

約2200品種のバラを中心に、四季折々の花や草木を観賞できる。香り高い四季咲きのバラは春と秋に見ごろのピークを迎え、6月にはアジサイ、冬から春にはクリスマスローズや桜が楽しめる。

横浜駅周辺 ▶ MAP 付録 P.4 A-4

☎非公開 休無休
10:00～17:30(閉園は18:00) ※冬期はHPを要確認 ¥700～1,500円(季節・年度により変動あり、詳細は事前に要確認) 横浜市西区西平沼町6-1 tvk ecom park 相鉄本線平沼橋駅から徒歩10分 Pあり

Special 4

Dim Sum!

中華街の名店の味を
点心で気軽に味わう

小皿に盛られた幸せ♪

名店×飲茶・点心
中華街必食の逸品

中華街グルメのなかでも、飲茶・点心は必食！小皿に盛られたいろいろな点心は中国茶と一緒に味わって！

飲茶とは中国茶を飲みながら味の濃い点心を食べる習慣のことで、広東省や香港を代表するグルメ。横浜中華街にも多くの飲茶の店があり、なかでも人気の3店舗をピックアップ。老舗プロデュースの点心専門店や世界大会で優勝した点心師の店、行列ができる有名店。さあ、どの店に行ってみる？

キュートな海鮮餃子

スープがあふれる小籠包や、アツアツの餃子を堪能。点心に合う中国茶とともに楽しもう

POINT
気になるメニューは迷わず注文！できたての飲茶が楽しめる。お茶で迷ったら「桂花烏龍茶」¥600がおすすめ

萬珍樓點心舗
まんちんろうてんしんぽ

中華街の老舗「萬珍樓」がプロデュースする飲茶専門店。オーダースタイルの飲茶を初めて中華街に紹介したことでも知られる。約50種類のこだわりの点心のほか、季節の食材をふんだんに使った広東料理も見逃せない。

横浜中華街 ▶ MAP 付録 P.12 B-2

0120-400428 休 月曜 11:00～14:00（金曜は8:00～）、17:00～21:00、土・日曜、祝日は8:00～21:00 横浜市中区山下町156 みなとみらい線元町・中華街駅2番出口から徒歩5分 P 提携駐車場あり

マンゴプディングココナッツソース

Mango

LET'S ORDER

海鮮うさぎ餃子

老舗のプロデュースということもあり、内装も華やか。細かな装飾まで配慮されている

上海豫園 小籠包館

しゃんはいよえんしょうろんぼうかん

第2回中国料理世界大会点心部門で優勝した点心師が監修する小籠包が評判の店。皮は極薄ながらモチモチとした食感で、中は素材のうま味が詰まったスープがたっぷり。小籠包以外の点心や料理もおすすめ。

横浜中華街 ▶MAP 付録 P.12 B-4

☎045-212-5087 休不定休 🕒11:00～20:00(閉店は20:30) 📍横浜市中区山下町166 みなとみらい線元町・中華街駅3番出口から徒歩7分 Pなし

POINT
小籠包は何もつけずに、そのままのうま味を堪能しよう。アツアツのスープが美味!

LET'S ORDER
鮮肉小籠包
海鮮あんかけ炒飯

A.自家製調味料で味付けしたコク深いスープがたっぷり。緑の「ヒスイ小籠包」¥1,250 B.看板メニューの「鮮肉小籠包」¥890 C.シャキシャキ感が残る野菜が入った「海鮮あんかけ炒飯」¥1,850もおすすめ

LET'S ORDER
水餃子
セロリ水餃子と桃肌水餃子のセット

yummy delicious

POINT
色が特徴的なセロリ水餃子と桃肌水餃子もおすすめ。ココナッツを使用した自家製のたれをつけて味わおう!

A.ココナツ風味の自家製たれをつけて食べる B.食感が楽しいセロリ餃子と、魚介のうまみたっぷりの桃肌水餃子 C.もっちりとした皮をかむと豚肉やにらのうまみがあふれ出す水餃子

山東2号店

さんとんにごうてん

『ミシュランガイド』のビブグルマンにも選ばれた有名店。独特のモチモチ皮の水餃子を求めて、連日客でにぎわう。山東料理をメインとした家庭料理も好評。自家製のたれをつけて食べる水餃子は絶品。

山下・元町 ▶MAP 付録 P.12 B-2

☎045-212-1198 休無休
🕒11:00～23:00 📍山下町150-3
みなとみらい線元町・中華街駅2番出口から徒歩5分 Pなし

愛らしいときめきスイーツ

Special 5

フォトジェニック × HAPPY チャイナタウンのSWEETS

“食べるのがもったいない！かわいくてインパクト抜群の、写真を撮るのも楽しい中華街スイーツならこれ！”

LOCAL's ADVICE

横浜の旅行ガイド本を手がける編集者
Ayako Nakajima

中華街グルメは、やっぱりスイーツもはずせない。おいしいのは当たり前。それに加えて、思わず写真を撮りたくなるフォトジェニックな魅惑のスイーツの数々。新食感のかき氷や伝統の味に磨きをかけた老舗スイーツなど、ごはんを食べたあとでもついつい食べてしまうおいしさ！　パフェやかき氷は溶けやすいので、写真を撮るときは時間との勝負！

Mango!!
ふわふわのかき氷とマンゴーの甘さが絶妙

ふわっふわのとろける口どけ♡

マンゴーカキ氷
¥1,380

台湾からやってきた新食感の人気かき氷

Delicious Sweet!

鼎雲タピオカカキ氷
¥1,380

ぷるぷるのタピオカがたっぷり！ A

Ⓐ鼎雲茶倉　ていうんちゃくら

台湾からやってきた台湾茶のカフェ。夏季限定で販売される台湾風のかき氷が人気で、なかでも凍らせたミルクティーを削ったかき氷に特製のタピオカをたっぷりのせた「鼎雲タピオカカキ氷」がおすすめ。1階では台湾茶の飲み方をレクチャーしてくれる。

横浜中華街 ▶ MAP 付録 P.12 B-3
☎045-227-5385　休 水曜
🕒11:00～20:45(閉店は21:00)、土・日曜、祝日は～21:15(閉店は21:30)
📍横浜市中区山下町146-2
🚶みなとみらい線元町・中華街駅2番出口から徒歩6分　P なし

中山路に面した赤い外観が特徴の店

満腹だってスイーツは別腹

Ⓓ ドラゴン形チョコレートと、ダイナミックに盛り付けられたイチゴが迫力満点

レモンシロップを加えたオリジナルの愛玉子ゼリー。後味はさっぱりで食後にぴったり Ⓑ

八宝茶は黒茶がベースの人気花茶。敦煌デザートは甘さひかえめ Ⓒ

Ⓓローズホテル横浜 ブラスリー ミリーラ・フォーレ

ローズホテルよこはまブラスリーミリーラフォーレ

横浜中華街の喧騒を離れて、ゆったりとくつろぎのカフェタイムを楽しめる店内は、木のぬくもりが漂う落ち着いた雰囲気がある。美食家が集う中華街ならではの、バラエティに富んだランチブッフェも堪能したい。

横浜中華街 ▶ MAP 付録 P.13 C-2

☎045-681-2916 休 無休 🕒7:00～20:00(閉店は21:00)、金・土曜は～21:00(閉店は22:00) 📍横浜市中区山下町77 ローズホテル横浜 1階 🚶みなとみらい線元町・中華街駅2番出口からすぐ P 80台

Ⓒ悟空茶荘

ごくうちゃそう

人気の中国茶カフェ。約40種類の中国茶をさまざまな茶器で楽しめるほか、デザートや軽食も味わえる。1階では、カフェでも提供されている中国茶など、100種類の茶葉や茶器のほか、中華雑貨なども購入できる。

横浜中華街 ▶ MAP 付録 P.12 B-4

☎045-681-7776 休 第3火曜 🕒1階／販売10:30～19:30(土・日曜、祝日は10:00～)、2階／喫茶10:30～18:00(土・日曜、祝日は～18:30) ※季節により異なる 📍横浜市中区山下町130 🚶みなとみらい線元町・中華街駅2番出口から徒歩7分 P なし

ⒷThe CAFE

ザカフェ

老舗「聘珍樓」が手がけるカフェ。善隣門の横にあり、中華街にありながら洋風でシックな雰囲気が特徴。自家製デザートやこだわりのコーヒーなど、幅広いメニューがそろっている。ロケーションも良く使い勝手もバッチリ。

横浜中華街 ▶ MAP 付録 P.12 A-3

☎045-663-5128 休 火曜 🕒11:00～19:00 📍横浜市中区山下町143 🚶みなとみらい線元町・中華街駅2番出口から徒歩5分 P なし

海を感じる横浜のすてきな空間

Beach × Tea で 非日常空間

横浜の街なかに真っ白なBeachが出現！
海まで行かなくても、気軽にプチリゾート
気分を満喫できちゃう

Special 6

tips
店の中も外もフォトスポットだらけ。すべてがフォトジェニックでカメラが手放せない！

Teafanny

ティファニー

真っ白な砂浜とプールがあるカフェ。中庭はもちろん、店内もカラフルな家具やアートがセンスよく配置されており、すべてがフォトジェニックスポット。海外のリゾートのような非日常的な雰囲気を楽しめる。

中区 ▶ MAP 付録 P.5 D-2

045-625-1661 休無休 10:00～19:00（閉店） 横浜市中区新山下3-2-5
みなとみらい線元町・中華街駅5番出口から徒歩10分 P3台

ローストビーフ ¥1,600

チョコレートバナナブリュレ ¥1,200

1.「ピンクグレープフルーツ」¥700と「ピーチレモネード」¥700
2. 白い建物が青空に映える

横浜の街なかに現れた真っ白なビーチがあるカフェ

横浜にとって海は欠かせないもの。そんな海を街なかでも感じることができるのが「Teafanny」。南国のリゾート地のような白い砂浜と海を思わせるプールは、非日常的な雰囲気があってフォトスポットとしても人気が高い。シャッターを切るのに夢中になって、ついつい食事を忘れてしまうかも？

1. ビーチエリアは飲食不可だが、撮影目的のドリンクの持ち込みはOK　2.3. カラフルなウォールアートは絶好の撮影スポットになっている

1.ビーチの周囲にはヤシの木やビーチベッドがあり、リゾート感を演出　2.写真などが飾られシックにまとめらている　3.イラストや本棚があり、アート感が漂うテーブル席　4.窓からビーチも見える。店でいちばん人気の席

イベントもCheck!

横浜赤レンガ倉庫にビーチが現れるかも!?

横浜の夏の風物詩
白い砂のビーチが出現することも！

On the Beach!

1. 白い砂浜と赤レンガのコントラストが新鮮　2. 2023年には「タイ」をテーマにした「Red Brick Island 2023」が開催された

横浜赤レンガ倉庫

みなとみらい ▶ MAP 付録 P.7 D-1

Red Brick Resort レッドブリックリゾート

横浜にいながら非日常感あふれる空間が出現するイベント。毎年テーマを変えながら7月末～8月末にかけて開催される、夏の風物詩。会場には白い砂のビーチが設けられることもあり、夏を満喫できるイベントとなっている。(»P.34)

Special 7

横浜の絶景めぐりに夜景は欠かせない。みなとみらいのビル群や横浜ベイブリッジ、横浜赤レンガ倉庫、横浜を代表する景色が、昼とはまったく違った表情になる。大パノラマの都市夜景、アミューズメント施設を彩る夜景、湾岸の夜景など、どれも言葉にならないほど美しい。ロマンティックな横浜、夜の風景を心ゆくまで堪能しよう。

Yokohama☆

COSMO CLOCK 21

光り輝く極上の世界！

ヨコハマ×夜景 ロマンティックな場所へ

“クラシック建築と現代建築が織り成す、過去と未来が融合したようなコントラストが横浜の夜景の象徴”

Lighting up!

A. 大観覧車や横浜港大さん橋 国際客船ターミナルまではっきりと見える　B. 横浜赤レンガ倉庫の建物がぼんやりと浮かび上がり、異国情緒たっぷりの雰囲気に　C. 大さん橋から横浜マリンタワー方向の夜景　D. 輝く横浜マリンタワー。イルミネーションの色は季節やイベントによって変わる

夜景 Best Spot

A 横浜ランドマークタワー スカイガーデン
よこはまランドマークタワースカイガーデン

みなとみらいのシンボル、横浜ランドマークタワーの69階にある、4面すべてがガラス張りの展望フロア。地上273mから見渡す夜景は、ほかにはない美しさ。

みなとみらい ▶ MAP 付録 P.6 B-3

(»P.40) ～20:30(閉館は21:00)、土曜、その他特定日は～21:30(閉館は22:00) ¥1,000円

B 横浜赤レンガ倉庫
よこはまあかレンガそうこ

ライトアップされた赤レンガ倉庫は、幻想的な雰囲気で夜景スポットとしても人気。季節のイベント時には、いつもと違った赤レンガ倉庫を楽しむことができる。

みなとみらい ▶ MAP 付録 P.7 D-1

(»P.34) ライトアップ ～24:00 ¥無料

C 横浜港大さん橋 国際客船ターミナル
よこはまこうおおさんばしこくさいきゃくせんターミナル

さえぎるものがなく、360度開放的な夜景を見られる定番スポット。屋上デッキは24時間開放されているのでロマンティックな港町の夜景を深夜まで眺めていられる。

山下公園・馬車道 ▶ MAP 付録 P.8 B-1

(»P.52) 24時間開放 ¥無料

D 横浜マリンタワー展望フロア
よこはまマリンタワーてんぼうフロア

昭和36(1961)年に開業した横浜のシンボル。29、30階は2層に分かれた地上約90mの展望フロアになっており、みなとみらいから横浜港を見渡す360度の大パノラマを体感できる。

山下公園・馬車道 ▶ MAP 付録 P.9 D-1

(»P.57) ～22:00
¥1,000円～(料金は時間帯や曜日により異なる)

無数の光が広がる夜景にただただ見とれる

INTERCONTINENTAL YOKOHAMA GRAND

宝石のような都市夜景が目の前に!

MARINE TOWER

D

春の見どころ

春といえば、桜! ライトアップを見に行こう

三溪園 さんけいえん

重要文化財10棟を含む歴史的建築物が配された庭園は、横浜とは思えない古都の風情。桜の季節は「桜めぐり」が開催され、ライトアップされた三重塔と桜の幻想的な風景を楽しめる。

中区 ▶ MAP 付録 P.5 D-3

045-621-0634 休無休 9:00～16:30(閉園は17:00)、「桜めぐり」は～20:30 ¥900円
横浜市中区本牧三之谷58-1 JR根岸駅から市営バス58・101系統で10分、本牧下車、徒歩10分 P60台

MUST VISIT 〉

横浜tripの"ゼッタイ行きたい"はココ！

"王道と旬" の見どころをピックアップ!

みなとみらい
MINATOMIRAI

p.38 » MARINE & WALK YOKOHAMA

p.40 » 横浜ランドマークタワー

p.34 » 横浜 赤レンガ倉庫

MUST SEE,

The best spot of the Yokohama trip is here!

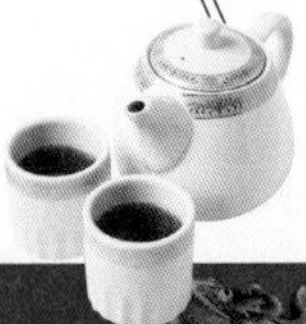

横浜観光の2大マストスポット、みなとみらいと横浜中華街の

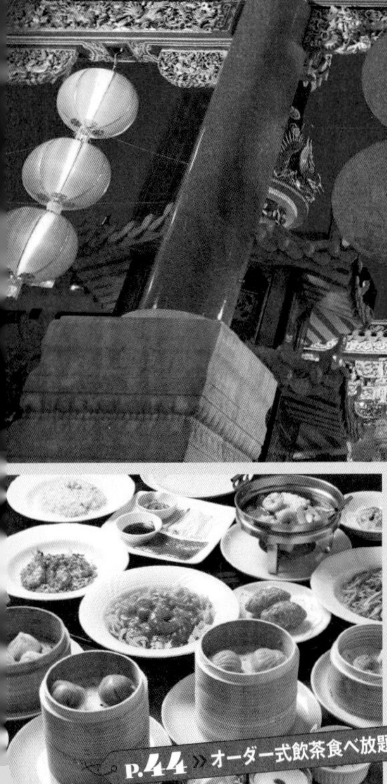

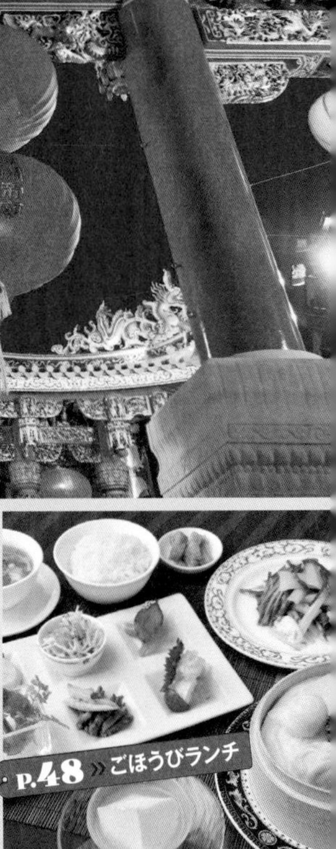

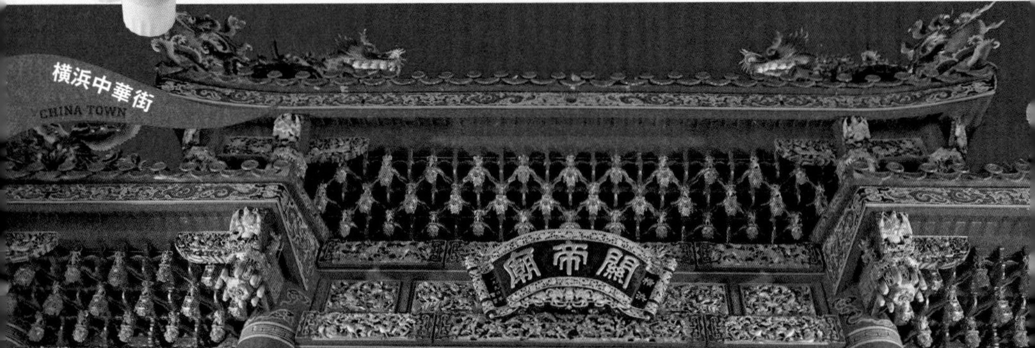
横浜中華街
CHINA TOWN
關帝廟

p.44 » オーダー式飲茶食べ放題

p.42 » テイクアウトグルメ
耀盛號

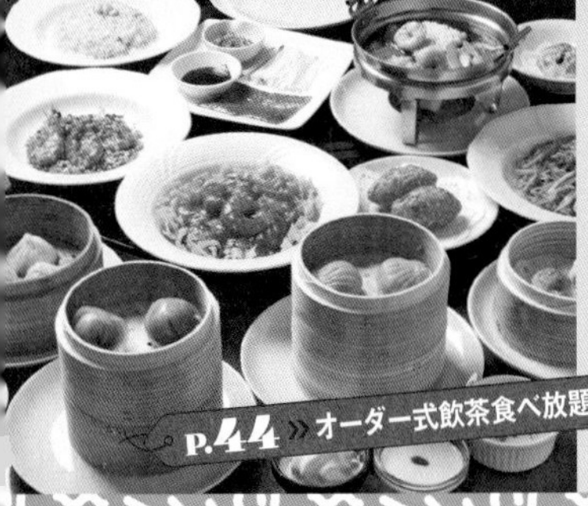

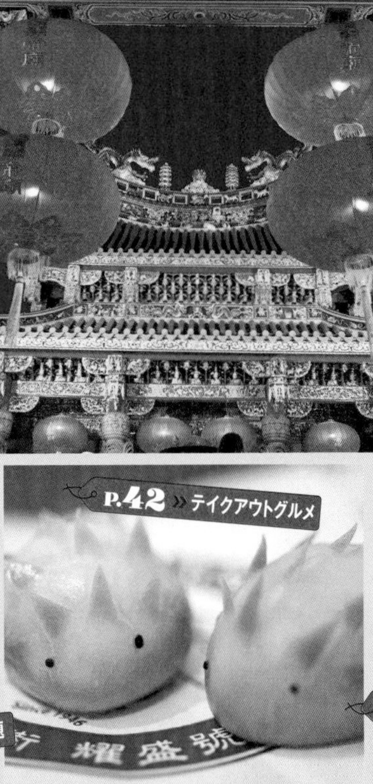

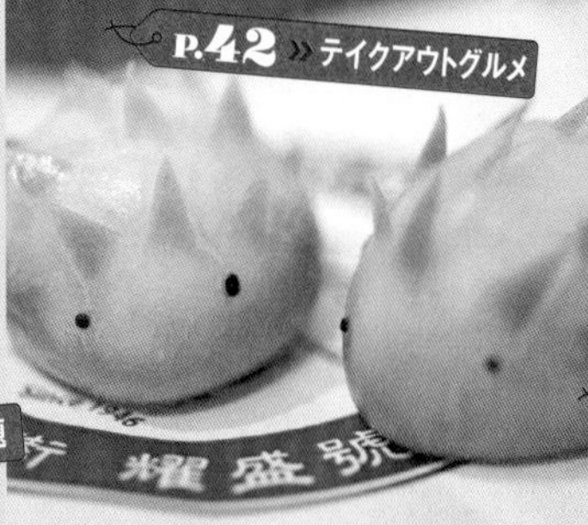

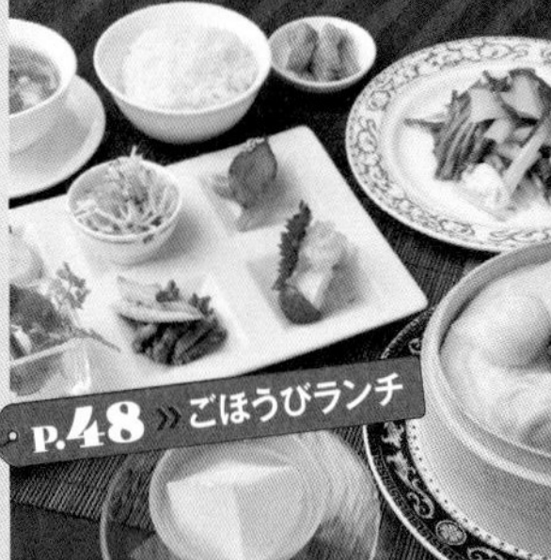

p.48 » ごほうびランチ

港町のランドマークは、レトロな赤レンガ造り

横浜赤レンガ倉庫へようこそ

横浜の昔と今を見つめる優雅なたたずまいの横浜赤レンガ倉庫。
思わず写真を撮りたくなる美しい建物は、見どころ満載。

RED BRICK

レトロ&モダンな建物で
すてきな店に出会う一日

フォトジェニックな
赤レンガ

横浜赤レンガ倉庫

よこはまあかレンガそうこ

100年以上の歴史をもつ赤レンガ造りの歴史的建造物を利用した文化･商業施設。ここでしか出会えない赤レンガ倉庫限定のメニューやグッズも豊富にそろう。季節ごとに開催されるイベントも多く、いつ訪れても楽しめるのがうれしい。

みなとみらい ▶ MAP 付録 P.7 D-1
☎045-227-2002(2号館)
休 無休 営10:00～19:00(1号館)、11:00～20:00(2号館)、一部店舗は～21:00、飲食店は店舗により異なる
横浜市中区新港1-1 みなとみらい線馬車道駅6番出口･日本大通り駅1番出口から各徒歩6分 P179台

1. 11月末から12月末に開催される「クリスマスマーケットin横浜赤レンガ倉庫」 2. 12月初旬～2月中旬には「アートリンクin横浜赤レンガ倉庫」が登場 3. 2号館バルコニーにある「幸せの鐘」 4. 大人気の「横浜オクトーバーフェスト」は9月下旬～10月中旬に開催

Cafe & Restaurant

A-1横浜港と大さん橋が見えるテラス席　A-2「アボカドトースト-フレッシュコリアンダーとライム添え」¥1,700　B-1「スパイシーチキンとフレッシュ野菜のプレート」 ¥1,780　B-2「焼きたてのバターミルクケーキ　たっぷりストロベリーのせ」¥1,780　B-3足を伸ばせる小上がり席　C-1平日の16時までのランチメニュー「りんごのキッシュプレート」¥1,200(ドリンク付き)　C-2赤レンガ倉庫店限定の「アーモンドチョコレート アップルパイ」¥870(イートイン)　C-3木のぬくもりのある店内

©Petrina Tinslay

©Anson Smart

C GRANNY SMITH APPLE PIE & COFFEE

グラニースミスアップルパイアンドコーヒー

“おばあちゃんの味”をコンセプトにしたアップルパイ専門店。味も見た目も異なるバラエティ豊かなアップルパイを常時8種類そろえている。こだわりのコーヒーや紅茶とともに楽しもう。

045-264-9981　休 無休
11:00～20:30(閉店は21:00)
2号館1階

B chano-ma

チャノマ

靴を脱いで足を伸ばせる小上がり席やソファー席がある、“現代のお茶の間”カフェ。自宅にいるようにくつろぎながら食事を楽しめる。デザートも豊富で、焼きたてのバターミルクケーキが人気。

045-650-8228
休 不定休
11:00～22:00(閉店は23:00)
2号館3階

A bills 横浜赤レンガ倉庫

ビルズよこはまあかレンガそうこ

海を望む明るいテラス席が人気のシドニー発オールデイダイニング。レストランターのビル・グレンジャー氏が、世界のフードトレンドを取り入れて考案した多彩なメニューを楽しめる。

045-650-1266　休 不定休
9:00～22:00(ドリンクは21:30まで)、土･日曜、祝日は8:00～、金･土曜、祝前日は～23:00　2号館1階

A 南仏の田舎を思わせる素朴な味をゆったりと

à la campagne 横浜赤レンガ倉庫店

アラカンパーニュよこはまあかレンガそうこてん

神戸生まれのタルトの専門店。南フランスのプロヴァンス地方伝統の素朴なお菓子をコンセプトに、旬のフルーツを使ったタルトや焼き菓子をそろえる。また、店舗ではケーキ以外にもパスタなどのフードメニューも楽しめる。

☎045-319-6368 休赤レンガに準じる 営11:00～20:00(フードL.O.19:00、カフェL.O.19:30)

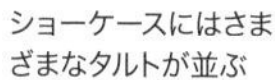

ショーケースにはさまざまなタルトが並ぶ

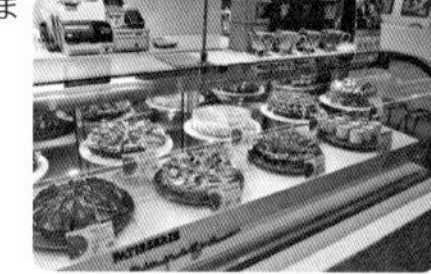

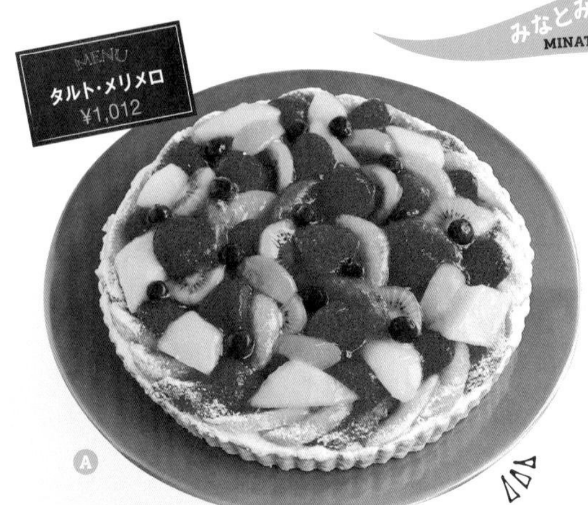

MENU
タルト・メリメロ
¥1,012

A

To Go Gourmet

MENU
ブラウニーココナッツ
¥972

B

MENU
ハワイアン
¥1,026

外はサクサク、中はもちもち!

B

B パンケーキの人気店がワッフル専門店として誕生

Hawaiian waffle Merengue

ハワイアンワッフルメレンゲ

パンケーキで人気の「Merengue」(»P.66)によるハワイアンワッフルの専門店。レストランに併設されたワッフルスタンドとなっており、ここでしか食べられないハワイアンワッフルはつい写真に納めたくなるビジュアル。

☎045-225-8231
休赤レンガ倉庫に準じる
営11:00～21:00 ♀2号館1階

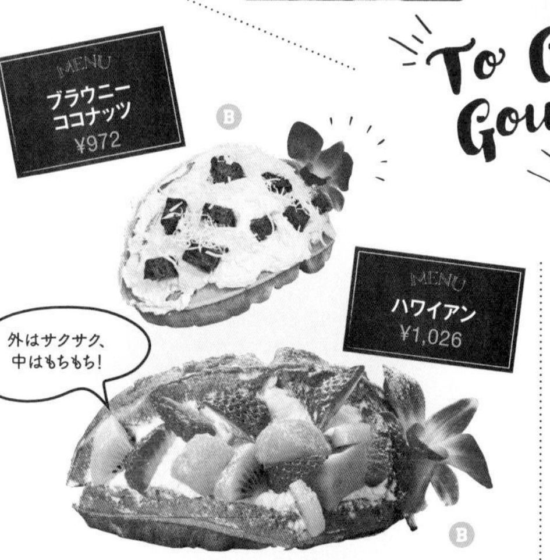

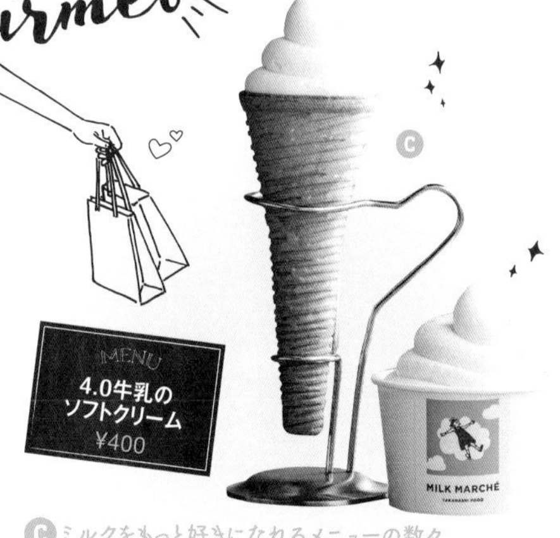

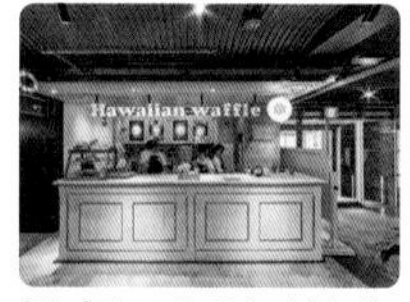

紙に包んでくれるタイプとボックスタイプ(有料)が選べる

C

MENU
4.0牛乳のソフトクリーム
¥400

C ミルクをもっと好きになれるメニューの数々

MILK MARCHÉ

ミルクマルシェ

タカナシ乳業のグループ会社が営むスイーツ店。ゴーフレットを焼く様子が見えるライブキッチンがあり、目でも楽しませてくれる。北海道の牛乳と季節の素材を生かしたデザートなど、ミルクのおいしさが楽しめるメニューを取りそろえている。

☎045-650-8707
休赤レンガ倉庫に準じる
営11:00～20:00

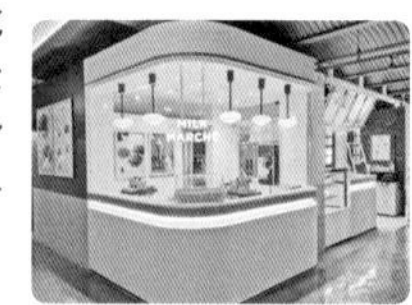

白を基調とした、POPでかわいらしい外観

※価格は改定の予定あり、詳細は事前に要確認

横浜らしいモチーフを買うなら

赤レンガ［デポ］

あかレンガデポ

“横浜レトロ”をテーマにしたどこか懐かしいけど、新しさを感じる横浜みやげを販売する。赤レンガにこだわったユニークなアイテムや、ここでしか買えないオリジナルグッズを数多く取りそろえる。

☎045-650-8208 休無休
🕒10:00～19:00 ♀1号館1階

1. 赤レンガ模様の長さ50mのテープ「ヨコハマガムテープ」¥990 2. 靴を脱いでも赤い靴?!「赤い靴下」¥1,100。子ども用から大人用までそろう 3. 食べるのがもったいないほどかわいらしい「横浜チョコレート 赤い靴」¥324

1. カジュアル過ぎない汎用的な「デニム製ハンドバッグ」¥19,800 2. 定番カラーの「紺／赤」が人気のガマ口財布「牛革ガマ口財布」¥23,100 3. 横浜市開港記念会館の大ステンドグラスをモチーフにしたオリジナルシルクスカーフ「ステンドグラス」¥19,800

横浜ブランドの雑貨が多数

横濱ベストコレクションクラブ

よこはまベストコレクションクラブ

横浜発祥のブランド、バッグの「キタムラK2」とスカーフで有名な「丸加」の合同ショップ。バッグや財布、スカーフなど、赤レンガ倉庫だからこそ見られる、全国展開していないアイテムが多数並ぶ。

☎045-226-1513 休赤レンガ倉庫に準じる 🕒10:00～19:00

MINATOMIRAI ～ 横浜赤レンガ倉庫

Goods

1. ラーメン、プリンアラモード、しゅうまい、ナポリタンと4つの横浜グルメをあしらった「横浜グルメハンカチ」各¥770 2. 赤い靴を履いた水兵さん風の女の子と、せいろに入った小籠包の2種のデザインがある「横浜アトリエ刺繍がま口」各¥1,980

旅行の思い出を持ち帰ろう

SOUVENIR GALLERY

スーベニールギャラリー

横浜を象徴するオリジナルデザインの小物や、神奈川県にまつわる商品を豊富に取りそろえる雑貨店。どのアイテムも旅の思い出を持ち帰って楽しめるようなかわいらしいデザインで、おみやげとしても人気。

☎045-663-0555 休無休 🕒11:00～20:00 ♀2号館2階

職人手作りのアイテムが豊富

日本百貨店あかれんが

にっぽんひゃっかてんあかれんが

日本の文化に根ざした、さまざまな伝統技術やご当地の素材、職人にフォーカスしたセレクトショップ。クラフトビールや日本酒、ワインなどがそろっておりみなとみらいの景色を眺めながらの飲み歩きもできる。

☎045-306-9292 休赤レンガ倉庫に準じる
🕒11:00～21:00

1. 可愛らしい「あかれんが金平糖キャンディ」2種。船・赤レンガ倉庫各¥680。セット¥1,500 2. ヴァイツェン、ラガー、アルトの味わい豊かな「あかれんがビール3種」各¥770 3. い草の香りに癒やされる「い草ブックカバー 文庫 粗 あかれんが」¥1,430

みなとみらい MINATOMIRAI

横浜港が目の前に広がる
抜群のロケーション

明るくて
開放的な空間♪

MARINE & WALK YOKOHAMA

マリンアンドウォークヨコハマ

"海沿いの倉庫街に街路をつくる"という発想から、海と緑をシームレスにつなぐことによって生まれた商業施設。横浜初上陸のグルメや、話題のインポートブランドを扱うセレクトショップなど、個性豊かな店舗がそろう。

みなとみらい ▶ MAP 付録 P.7 D-1

☎045-680-6101(11:00~18:30) 休1/1
🕒11:00~20:00(レストランは~22:00) ※一部店舗は異なる 📍横浜市中区新港1-3-1 🚶みなとみらい線馬車道駅6番出口から徒歩9分 P89台

まるでアメリカ西海岸！　海と緑と街が共存する旬スポット

MARINE & WALK YOKOHAMA で過ごす一日

高感度なショップや飲食店が集まるスタイリッシュなオープンモール。
さわやかな海風を感じながら、のんびり散策してみよう！

できたてのフレッシュチーズ食べ放題！

good spoon

グッドスプーン

日本初、自家製モッツァレラチーズの食べ放題が話題の、関西発のチーズ専門店。店内に併設されたチーズ工房で毎日手作りされるできたてのフレッシュチーズが人気。

☎045-319-6659 🕒11:00~19:00(金・土曜は~20:00)
※閉店は各1時間後

1. 熱々の状態で提供される「鉄板チーズハンバーグ」¥2,068
2. 光が注ぎこむ明るい店内　3.「王様のボロネーゼ」¥2,178

B アジアと西洋を合わせたカフェ&ダイニング

CAFE GRACE
カフェグレース

緑が多くリゾートを思わせる店内で、多国籍料理が楽しめる。インパクトのあるクレープ各種は、大人数・デートなどさまざまなシーンに華を添えてくれる。

045-211-4676 10:00〜20:00

A ランチはできたてパイが食べ放題！

Pie Holic
パイホリック

食材も味わいもさまざまなパイ料理の専門店。月替わりで5種類のパイが90分食べ放題のランチは特に人気で、連日行列ができる。

045-227-6777 11:00〜21:00(閉店は22:00)

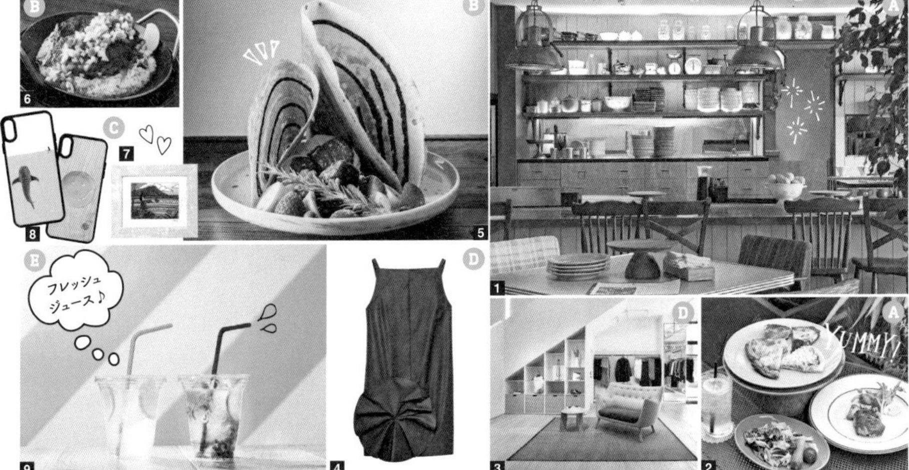

1. ゆったりと過ごせる店内のほか、海が見える人気のテラス席もある 2. パイの食べ放題にメイン料理やサラダが付く「基本のランチセット」¥2,200 3. スタイリッシュで洗練された店内 4. モダンなデザインの「Black Mini Dress」¥17,500 5.「グレースクレープ」¥2,300 6.「ジャークチキンライス」¥1,900 7. Heather Brown ART&フレーム「HULA GIRL」¥19,140〜 8. iPhoneケース「WHALE SHARK」(左)「SURF SMILE」(右)¥4,180〜 9. フレッシュなソーダは¥540〜

E 旬の果物をさわやかなソーダに

COMMUNITY MILL/ SODA BAR
コミュニティミルソーダバー

西海岸の豊かで自由なライフスタイルを提案するセレクトショップ。併設のドリンクスタンドでは旬の果物を使ったソーダを提供する。

045-263-6448 11:00〜20:00

D 高品質なエッセンシャルウエア

COS
コス

ハイエンドなデザインと高品質なアイテムをそろえるロンドン発のコンテンポラリー・ブランド。リーズナブルな価格で展開している。

045-222-6533 11:00〜20:00

C ビーチ&サーフのアートギャラリー

GREENROOM
グリーンルーム

ビーチカルチャー&サーフカルチャーを発信するアートギャラリー兼セレクトショップ。オリジナル雑貨も多数取りそろえている。

045-319-4703 11:00〜20:00

港町のブルーの絶景を探して……

横浜ランドマークタワーへ！

グルメもショッピングも、旬の店が勢ぞろいする横浜のシンボルタワー。
高さ296mを誇る高層ビルで、みなとみらいの“今”を体感しよう。

みなとみらいの大パノラマを一望！
横浜の魅力を一度に楽しもう

存在感抜群の横浜のシンボル

Recommend

69F スカイガーデン

69階に位置する横浜の景色を一望できる展望フロア。360度の大パノラマが楽しめる。

☎045-222-5030 休無休 🕒10:00～20:30(閉館は21:00)、土曜、その他特定日は～21:30(閉館は22:00) ¥1,000円

Check! SKY CAFE
スカイカフェ

スカイガーデンに併設するカフェ。軽食やスイーツ、アルコールを提供する。窓際のペアシートは特別な時間を過ごせると大人気！

☎045-224-3031
🕒10:00～20:30(閉店は21:00)、土曜は～21:30(閉店は22:00)

ランドマークプラザとクイーンズスクエアを結ぶ広場にあるモニュメント「モクモク ワクワク ヨコハマ ヨーヨー」

横浜ランドマークタワー
よこはまランドマークタワー

神奈川県No.1の高さを誇るみなとみらい地区のシンボルタワー。横浜名物を取りそろえたショッピングモールに69階の展望フロア、そして高層階のホテルなど、多彩な施設を併設する複合施設。

みなとみらい ▶ MAP 付録 P.6 B-3

☎045-222-5015(ランドマークプラザ) 休法定点検日 🕒11:00～20:00(飲食店は～22:00、みらい横丁は～23:00、施設・店舗により異なる) 📍横浜市西区みなとみらい2-2-1 🚶みなとみらい線みなとみらい駅クイーンズスクエア連絡口から徒歩3分、JR桜木町駅から動く歩道で徒歩5分 P1400台

1. 壁一面に茶葉の入った黄色い缶が並ぶ　2. 熟したベリーが香る「1837 Black Tea」¥5,184
3. およそ300種類の商品がそろう

シンガポール発の高級ティーブランド

プラザ 3F TWG Tea ティーダブリュジーティー

世界屈指のラグジュアリーティーブランド。紅茶やルイボスティーなど、世界で愛される厳選された最高級の茶葉をはじめ、お茶を使ったマカロンやサブレなども取りそろえる。

045-681-1837　休 無休　11:00〜20:00

旬の味覚が勢ぞろい
果物ならおまかせ♪

プラザ 5F 果実園リーベル

かじつえんリーベル

市場から仕入れる旬のフルーツをふんだんに使用したメニューを楽しめる。季節のフルーツがたっぷりで見た目も華やかなパフェやパンケーキ、フルーツサンドがおすすめ！

045-225-8878　休 無休
9:00〜17:00（閉店は18:00）

1. 約10種類の果物が贅沢にのるいちばん人気のメニュー　2. 店内はかわいらしい雰囲気

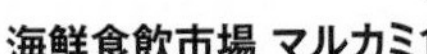

1. 古き良き時代を感じる空間　2.「まるかみ特選バラチラシ」¥1300

みらい横丁 B2F

海鮮食飲市場 マルカミ食堂

かいせんしょくいんいちばマルカミしょくどう

函館をはじめ、漁港から直送される朝獲れ魚介が豊富にそろう。横浜発祥のナポリタンなどの洋食メニューもあり、子ども連れにも人気がある。

045-263-9303　休 無休
11:00〜14:30（閉店は15:00）、17:00〜22:00（閉店は23:00）、土・日曜、祝日は11:00〜22:00（閉店は23:00）

みらい横丁

みらいよこちょう

ドックヤードガーデンの地下1・2階にある食のエンターテインメントゾーン。隠れ家的スポットでイタリアンから海鮮料理、ビアレストランなど、さまざまなジャンルの飲食店が軒を連ねる。"港町の酒場"のにぎやかな雰囲気を楽しもう。

どの店にするか迷っちゃう！

中華街のテイクアウトグルメ

中華街といえばテイクアウトグルメの食べ比べが楽しみのひとつ。
少しずつ、たくさんの種類を味わいたい！

ブタまんの中は具がギッシリ！

C ブタまん ¥600

食べごたえ抜群の大きなブタまん。皮もやわらかい

C 湯杯小籠包(フカヒレ) ¥400

カップに入った小籠包は食べ歩きにもぴったり

B 蛋達(タンター) ¥250

サクサクしたパイ生地の中は、トロンとしたやさしい甘さのプリン

JUICY!!

A 海鮮と豚肉2種盛りセット(4個入り)¥750

アツアツの肉汁が絶品の焼き小籠包。緑色の皮の小籠包は海鮮入り

D 老維新
ろういしん

店内はキュートな中国&パンダ系の雑貨がずらりと並び、一日中見ても飽きないほど。店頭で販売されるコミカルな中華まんは中華街の名物になっている。

横浜中華街／中華街大通り

▶ MAP 付録 P.12 B-3

☎045-681-6811
休 無休
🕒10:30～20:45
📍横浜市中区山下町145
👣みなとみらい線元町・中華街駅2番出口から徒歩4分
P なし

多彩な中国の輸入雑貨が並ぶ。「パンダまん」のかわいい看板が目印

C 江戸清 中華街本店
えどせいちゅうかがいほんてん

江戸清といえば定番の「ブタまん」。上質な国産豚肉をはじめ、かにやえび、野菜などを使ったうま味たっぷりのあんがぎっしり。食べ歩きの定番のひとつ。

横浜中華街／中華街大通り

▶ MAP 付録 P.13 C-2

0120-047-290　休 無休
🕒10:00～19:30(土曜は～21:00、日曜、祝日は～20:30)
📍横浜市中区山下町192
👣みなとみらい線元町・中華街駅2番出口から徒歩3分
P なし(提携駐車場あり)

定番から新感覚のものまで常時15種以上の中華まんがそろう

B 紅棉
こうめん

根強いファンが多い広東点心専門店。自家製にこだわった点心は素朴な味わいで、昔から愛され続けている。ココナツの焼き菓子「椰子達(イエター)」もおすすめ。

横浜中華街／関帝廟通り

▶ MAP 付録 P.13 C-3

☎045-651-2210
休 木曜
🕒10:00～19:00
📍横浜市中区山下町190
👣みなとみらい線元町・中華街駅2番出口から徒歩4分
P なし

関帝廟通りに面した老舗らしい店構えと特徴的な赤い外観が目印

A 鵬天閣新館
ほうてんかくしんかん

中華街の中でも、特に人気の上海小籠包専門店。店内の厨房で点心師があんを詰め、そのまま焼き上げるので、つねにできたての小籠包が味わえる。

横浜中華街／中華街大通り

▶ MAP 付録 P.13 C-2

☎045-681-9016
休 無休
🕒10:00～21:30
📍横浜市中区山下町192-15
👣みなとみらい線元町・中華街駅2番出口からすぐ
P なし

大通り沿いにある店舗。開店直後から大勢の人が並ぶことも

China Town Map

Chukagai Odori
中華街大通り

Ishikawacho ← JR石川町駅
E D 老維新
開華楼
王タレ
長安道
中山路
香港路
市場通り
江戸清 中華街本店
C A 鵬天閣新館
上海路
B 紅棉
F 耀盛號 売店
関帝廟通り
→山下公園
南門シルクロード
Motomachi Chukagai →元町・中華街駅

じっくり煮込まれたトロトロの豚の角煮がゴロッ!

D ブタ角煮まん ¥380

D パンダ肉まん ¥380

ひとつひとつ表情が微妙に違って、どれもキュート!

中はカスタードたっぷりの点心。6匹入りは¥1,000

外はサクサク 中はしっとり

F ハリネズミまん ¥200

E 台湾果茶 ¥750

鮮やかなブルーのバタフライピーと台湾フルーツのドリンク。フレーバーは3種

歩いて食べて しあわせ〜♪

CHINA TOWN 〜 テイクアウトグルメ

妙技に見とれちゃう! 龍の髭飴の実演販売

幸せと長寿の象徴として王様にも献上された宮延菓子。固いはちみつの塊を瞬く間に1万6000本の糸状にする技は圧巻。見て楽しい、食べておいしい伝統の菓子をチェックしよう。

繭のような見た目。食感は繊細で上品な甘さが広がる

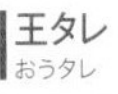

王タレ
おうタレ

横浜中華街/中華街大通り
▶MAP付録 P.12 A-3
非公開 休無休 11:00〜21:00(土・日曜、祝日は10:00〜22:00) 横浜市中区山下町144 チャイナスクエア1階 みなとみらい線元町・中華街駅3番出口から徒歩5分 P なし

F 耀盛號 売店
ようせいごうばいてん

本場さながらの中国食材や珍しい調味料などを買うことができる食品店。各種点心をはじめ、名物「ハリネズミまん」など、豊富にラインナップ。

横浜中華街/長安道
▶MAP付録 P.12 A-3
045-681-2242
休 第3火曜
10:00〜18:00
横浜市中区山下町143
みなとみらい線元町・中華街駅2番出口から徒歩8分
P なし

善隣門左の長安道沿いにある。「ハリネズミまん」の看板が目印

E 開華楼
かいかろう

「食べくらべ串」をはじめ豊富な種類の一口グルメがそろう。冬は点心、夏は台湾スイーツがおすすめメニュー。女性からの人気も高い。

横浜中華街/中華街大通り
▶MAP付録 P.12 B-3
045-640-0081 休無休
10:30〜20:00(土曜は10:00〜22:00、日曜、祝日は10:00〜21:00)
横浜市中区山下町145 横浜博覧館1階 みなとみらい線元町・中華街駅2番出口から徒歩5分
P なし(提携駐車場あり)

横浜博覧館の1階。持ち帰りはもちろん、その場で味わうことも可

※食べ歩きは禁止なので、食べるときは指定の場所で。

あの一皿も、この一皿も、全部試してみたい！

オーダー式飲茶食べ放題で トコトン本格中華

あれもこれも食べたい人におすすめしたいオーダー式食べ放題。
できたてアツアツの本格中華を心ゆくまで堪能しちゃおう♪

1.シックな内装で落ち着いた雰囲気の店内　2.店内は故宮をイメージした荘厳な造り
3.一皿の量は少ないので、たくさんの種類の料理を楽しむことができる

COURSE MENU

料金	¥3,450
※ドリンクは別料金、子ども料金あり	
品数	120品以上
時間	3時間（土・日曜、祝日は2時間）

PICK UP! 飲茶

黒スブタ

大珍楼いち押しの黒酢を使ったヘルシー酢豚

おまかせ前菜3種盛り

皮がカリっとした豚バラやこりこりしたくらげは絶品

五目おこげ

海の幸と野菜がたっぷりの中華あんがおこげにマッチ

チャーシュークレープ

手作りのモチモチした皮でくるんだ特性チャーシュー

カニ爪揚げ　マンゴープリン

中身もぎっしり。食べごたえも十分の人気メニュー

プルプルとした食感の中華デザートの王道

大珍楼
だいちんろう

中華街にオーダー式食べ放題を広めた広東料理の老舗。香港飲茶を中心とした伝統的な広東料理など、120品以上をオーダー式食べ放題で味わえる。通年メニューのほか、季節限定のメニューも見逃せない。

横浜中華街／中華街大通り
▶MAP 付録 P.12 A-3
045-663-5477　休 無休　11:00～21:30（閉店は22:00）　横浜市中区山下町143　みなとみらい線元町・中華街駅2番出口から徒歩7分　P なし

横浜大飯店
よこはまだいはんてん

中華街を代表するオーダー式食べ放題の店。北京ダックなど、贅沢なメニューを含んだ約100種をオーダーできる。素材選びから調理法までこだわった料理は、どれも絶品。中国茶の無料サービスもうれしい。

横浜中華街／長安道 ▶ MAP 付録 P.12 A-3 Ⓒ Ⓡ

☎045-641-0001　休 無休　🕒11:30～20:10(L.O.20:50、閉店は21:30)　📍横浜市中区山下町154　🚶みなとみらい線元町・中華街駅2番出口から徒歩9分　Ⓟなし

※写真はイメージ

料理のジャンルは広く、季節の料理やオリジナルメニュー、点心の種類も豊富

1.地下1階から3階まで大人数でも対応できる 2.善隣門のすぐ隣

脱皮したてのえびで頭までやわらかい

油条(揚げパン)入りのオリジナル北京ダッグ

COURSE MENU

料金	¥4,980
※ドリンクは別料金、子ども料金あり	
品数	100品以上
時間	無制限
(混雑状況により時間制限あり)	

COURSE MENU

料金	¥4,300
土・日曜、祝日	¥4,800
※ドリンクは別料金	
品数	80品
時間	2時間
(L.O.1時間30分)	

1.本場仕込みの「麻婆豆腐」ははずせない逸品 2.清潔感があり女性でも入りやすい

重慶茶樓本店
じゅうけいさろうほんてん

四川料理の老舗「重慶飯店」が手がける飲茶専門店。名店の味をオーダー式食べ放題でリーズナブルに提供する。本場中国から取り寄せた中国茶は10種類から選ぶことができるので、本格的な飲茶を味わえる。

横浜中華街／中華街大通り ▶ MAP 付録 P.13 C-2 Ⓒ Ⓡ

☎045-681-0807　休無休　🕒11:30～20:00(金曜は～20:50)、土曜は11:00～20:50(日曜、祝日は～20:00)　📍横浜市中区山下町185 2・3階　🚶みなとみらい線元町・中華街駅2番出口からすぐ　Ⓟなし(提携駐車場あり)

COURSE MENU

料金	¥3,980
※ドリンクは別料金	
品数	115品以上
時間	2時間

1.注文を受けてから調理するので熱々の料理を堪能できる 2.関帝廟通りから香港路に入ってすぐ右側にある

皇朝レストラン
こうちょうレストラン

中国料理世界大会の経歴をもつ料理長が手がける人気店。特に点心に定評があり、オリジナルメニューも充実。時間無制限のため、心ゆくまで楽しめる。60品食べ放題のリーズナブルなコースも。

横浜中華街／香港路 ▶ MAP 付録 P.12 B-3 Ⓒ Ⓡ

☎0120-290-892　休無休
🕒11:00～21:30　📍山下町138-24
🚶みなとみらい線元町・中華街駅2番出口から徒歩5分
Ⓟなし

リピーター続出の人気メニュー

麺＆ご飯で迷ったらここでキマリ!

中華街で愛され続ける名物メニューをピックアップ！
人気が出るのも納得の絶品ご飯&麺の実力店。

慶華飯店

けいかはんてん

シンプルな外観はつい見逃しそうだが、昼どきは行列ができる。あっさりとした味付けの広東料理は女性にも人気で、なかでも創業以来の味を守り続ける「えびワンタン」はファンも多い。

横浜中華街／広東道 ▶ MAP 付録 P.12 B-2

045-641-0051　休 水曜　11:30～15:00(L.O.)、17:00～20:00(L.O.)　横浜市中区山下町150　みなとみらい線元町・中華街駅2番出口から徒歩4分　P なし

とろける皮のワンタンの中に小エビや豚挽き肉が詰まっている。うま味も食感も豊か

ほとんどの客が注文する看板メニュー

プリプリ食感がたまらない♪

えびワンタン ¥880

NOODLE

三河湾のあさりがたっぷりで、醤油ベースのスープにあさりのうま味が凝縮！

締めはご飯を入れておじやにしても◎

まかないから生まれた店のいちばん人気

活あさりそば ¥1078

吉兆

きっちょう

日本人の味覚に合わせて研究された広東料理を味わえる店。人気メニューは、まかないから生まれた「活あさりそば」。凝縮されたあさりのうま味としょうがの効いたあっさり味が特徴。

横浜中華街／市場通り ▶ MAP 付録 P.12 B-2　CR

045-651-9157　休 月曜(祝日の場合は翌日休)　11:30～20:00　横浜市中区山下町164　みなとみらい線元町・中華街駅2番出口から徒歩3分　P なし

特製の上湯（シャンタン）スープで煮込んだふかひれが豪快にご飯にのる

かむほどにうま味が広がる
贅沢ご飯

フカヒレ姿入りあんかけご飯（胸ビレ使用）
￥1800

ふかひれが
まるごと
ご飯にオン

廣翔記 新館

こうしょうきしんかん

こだわりの肉厚なふかひれが味わえる、ふかひれ料理専門店。リーズナブルなセットメニューから贅沢なフルコースメニューまで、ふかひれ料理だけで100種類以上を取りそろえる。

横浜中華街／蘇州小路 ▶ MAP 付録 P.13 C-3

☎045-680-5858　休 無休　🕒11:00～15:00、17:00～22:00（閉店は22:30）、土・日曜、祝日は11:00～22:00（閉店は22:30）　📍横浜市中区山下町97 一石屋ビル1-2階　🚶みなとみらい線元町・中華街駅3番出口から徒歩３分　P なし

名物粥店 謝甜記

謝甜記本店

しゃてんきほんてん

昭和26（1951）年に創業した中華街の老舗。乾燥貝柱や乾燥カキ、鶏のスープなどで4時間かけて炊いたお粥は、うま味が凝縮しながらもさっぱりした味わい。親子孫3世代で通う常連客もいる。

横浜中華街／中華街大通り ▶ MAP 付録 P.13 C-2

☎045-641-0779　休 火曜　🕒10:00～14:50、17:00～20:25（閉店は21:00）
📍横浜市中区山下町165
🚶みなとみらい線元町・中華街駅2番出口から徒歩3分　P なし

牛もつのぷりっとした食感となめらかなお粥のハーモニー

並んでも食べたい
濃厚なうま味が詰まったお粥

牛肚粥（ぎゅうとつがゆ）
￥850

RICE

接筵

せつえん

北京料理を中心に、各地方の料理の良いところを取り入れたメニューが味わえる店。看板メニューは「スープ炒飯」と「麻婆豆腐」。ボリュームがあり、価格も手ごろなランチメニューもおすすめ。

横浜中華街／関帝廟通り ▶
MAP 付録 P.13 C-3

☎045-651-3810　休 不定休　🕒11:30～21:00（L.O.）　📍横浜市中区山下町187　🚶みなとみらい線元町・中華街駅から徒歩2分　P なし（契約駐車場あり）

豚をベースに高菜がどっさり入った緑色のスープと福建式の特製炒飯

スープ炒飯
￥1100

パラパラ炒飯×サラサラスープの
驚きのおいしさ

格式高い名店の味をお得に

憧れの名店でごほうびランチ♪

ちょっと入りづらい憧れのあの名店も、ランチなら気軽にリーズナブルに味わえます！
名店デビューをするなら、ランチタイムがおすすめ！

レトロで優雅な空間で味わう老舗の上海料理

ランチメニューながらふかひれをたっぷり堪能できる全9種のコース

フカヒレSpecialコース ¥3,850(2名～)
二種海鮮のチリソース煮やフカヒレスープチャーハンなどがそろう9品コース

状元樓
じょうげんろう

上質なふかひれを使った料理が評判の創業60年以上を誇る上海料理店。伝統的な料理のほか、種類豊富な点心を目当てに訪れる客も多い。1920年代の老上海をイメージしたクラシカルな雰囲気の店内も楽しみたい。

横浜中華街／中華街大通り

MAP 付録 P.12 B-2

045-641-8888 休無休
11:30～21:30(閉店は22:00)
横浜市中区山下町191
みなとみらい線元町・中華街駅２番出口から徒歩３分
Pなし

看板メニュー「状元特上フカヒレ姿の土鍋煮込み(中)」¥11330は別注文してでも食べたい

リーズナブルに本格飲茶が楽しめる「レディースセット」¥2100

1. ノスタルジックな建物は5階建て
2. 調度品は上海から調達するなど、細部までレトロな上海にこだわった内装

1. 四季によってメニューが変化するランチ限定のコース
2. 豪華絢爛な5階建ての店舗。1階には売店スペースも
3. 広々としたフロアで食事が楽しめる

お昼の飲茶コース ¥3,800
本格中華の味を堪能するバラエティ豊かな10品コース

菜香新館

さいこうしんかん

横浜中華街で、点心の名店といえば必ずあがる有名店。本場・香港の点心師による点心のほか、高級食材をふんだんに使った広東名菜など、香港の味を追求した料理が味わえる。

横浜中華街／上海路 ▶ MAP 付録 P.13 C-3

☎050-3196-2794 休火曜 🕒11:30〜13:30(コース)、〜14:30(その他)、17:00〜19:30(コース)、〜20:30(その他)、土・日曜、祝日の昼は11:00〜15:00、〜14:00(コース) ※木曜夜は要予約
📍横浜市中区山下町192 👣みなとみらい線元町・中華街駅2番出口から徒歩3分 Pなし

萬珍樓本店

まんちんろうほんてん

横浜中華街に130年以上前からある広東料理店。医食同源を基礎として、厳選された食材を使用し、素材本来の味を生かした調理法で作られる。パティシエによるオリジナルのデザートも好評。

横浜中華街／中華街大通り ▶ MAP 付録 P.12 A-2

☎0120-284004 休月曜 🕒11:00〜15:00、17:00〜21:00(土・日曜、祝日は11:00〜21:00) 📍山下町153
👣みなとみらい線元町・中華街駅2番出口から徒歩5分
P提携駐車場あり

1.「海鮮きのこスープ」や「海老と白身魚の二種作り」など、全7品の内容。注文は2人前〜 2. 老舗らしい重厚な店構え 3. 店内は広々としており団体でも利用しやすい

朱雀コース ¥3,850
朱雀前菜・二種揚げ物(春巻・揚げ大根餅)・大山鶏と里芋の南乳煮込み・杏仁豆腐など

1. 看板メニューの麻婆豆腐をはじめ、前菜や炒め物など全8品のコース 2. 駅からすぐの場所でアクセスが良いのもうれしい 3. 現代建築と老舗らしい伝統的な雰囲気が調和している

琥珀コース ¥4,900
点心2種や麻婆豆腐などを含む四川料理のコース。提供内容は月によって異なる

重慶飯店本館

じゅうけいはんてんほんかん

横浜中華街における四川料理店の先駆けとなった店。伝統を守りながら、火鍋を新メニューに導入するなど四川料理に定評がある。看板メニューの「麻婆豆腐」のほか、本格的な四川料理が堪能できる。

横浜中華街／開港道 ▶ MAP 付録 P.12 B-2

☎045-641-8288 休無休 🕒11:30〜14:00、17:00〜20:00(金曜は〜21:00)、土曜は11:30〜21:00(日曜、祝日は〜20:00) 📍横浜市中区山下町164 👣みなとみらい線元町・中華街駅2番出口からすぐ Pなし(提携駐車場あり)

※掲載しているデータは2024年1月に取材したものです。料金やメニュー内容は改定や時期によって変動する場合があります。

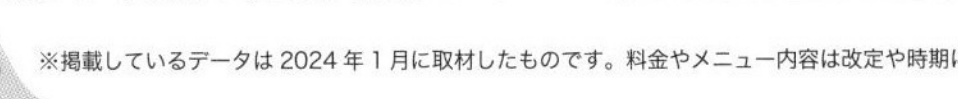

COLUMN Power Spot

横浜中華街のパワースポットめぐりで運気UP!

中華街の神様に参拝しよう

壁にぶつかったときや人生の分岐を迎えたとき、見えない力をくれるパワースポット。横浜中華街の参拝スポットは異国のカルチャーにあふれていて、観光を楽しみながらパワーをもらうことができる注目のスポットになっている。また、風水上でも好立地とされているので、それぞれの場所をめぐるだけでも運気がアップするかも?

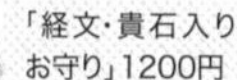

「経文・貴石入りお守り」1200円

横浜関帝廟

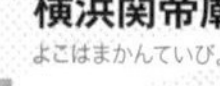

よこはまかんていびょう

『三国志』でもおなじみの武将関羽を神格化した関聖帝君を祀る。関聖帝君は商売繁盛の神様とされており、中華街の繁栄の氏神様として慕われている。

横浜中華街/関帝廟通り ▶ MAP 付録 P.12 B-3

☎045-226-2636 休無休 ⏰9:00～19:00
¥参拝無料(神殿内参拝は線香代500円)
📍横浜市中区山下町140 🚶みなとみらい線元町・中華街駅2番出口から徒歩6分 Pなし

神様と御利益

関聖帝君…交通安全・商売繁盛・入試合格・学問
玉皇上帝…国泰平安 地母娘娘…除災・健康
観音菩薩…解難・健康・縁談・安産
福徳正神…金運・財産安全

横浜媽祖廟

よこはままそびょう

航海を司り、自然災害や疫病から人々を守る媽祖を祀る。縁結びの神様である「月下老人」も祀ってあり、恋愛のパワースポットとしても人気。

横浜中華街/南門シルクロード ▶ MAP 付録 P.13 C-4

☎045-681-0909 休無休 ⏰9:00～19:00
¥参拝無料(神殿内参拝は線香代500円)
📍横浜市中区山下町136 🚶みなとみらい線元町・中華街駅3番出口から徒歩3分 Pなし

神様と御利益

天上聖母(媽祖)
…家内安全・商売繁盛・心願成就など
玉皇上帝…国泰平安
福徳正神…金運招財・財産安全

災難除けに「交通安全お守り」800円

日本丸メモリアルパーク
にっぽんまるメモリアルパーク
» P.56

青い空&キラキラ光る海に囲まれた、絶景スポット

海全開! 広がるパノラマビュー

青い空と、きらめく海と、みなとみらいを見渡す絶好のロケーション。
潮風感じる“港町・横浜”を感じに行こう。

Nice View!

横浜って
感じだね!

開放感抜群の海上デッキで
行き交う船を眺めよう

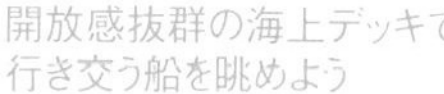

横浜港大さん橋 国際客船ターミナル

よこはまこうおおさんばしこくさいきゃくせんターミナル

海にせり出した、大型客船が入港する客船ターミナル。360度さえぎるものがない大パノラマが楽しめる。波のうねりをイメージした山形の屋上は「くじらのせなか」と呼ばれており、24時間開放されている。いつでも夜景や早朝の風景を楽しめると人気のスポット。屋上はウッドデッキと天然芝の緑地になっており、広々とした開放的な空間が広がっている。

山下公園・馬車道 ▶ MAP 付録 P.8 B-1

045-211-2304 休無休 9:00～21:30(屋上は入場自由) ¥無料 横浜市中区海岸通1-1-4 みなとみらい線日本大通り駅3番出口から徒歩7分 P最大400台

1. 屋上の床に描かれたジャック、キング、クイーンの絵。横浜三塔の方角を示している 2. 客船が入港している姿を間近に見られる 3. 海を行き交う観光船も目の前に 4. 海の向こうには美しい吊り橋、横浜ベイブリッジも見渡せる

Discovery

PICK UP

シービュー満喫！

海沿いの公園&カフェ

横浜港沿いにはシービューが自慢の公園が点在。芝生広場でピクニックをしたり、海を見ながらカフェでひと息ついたり、のんびり過ごしてみよう！

1. 段々畑のように芝生が広がる「開港の丘」は市民に親しまれている　2. 美しい夜景も見どころのひとつ

象の鼻パーク
そうのはなパーク

横浜港開港150周年を記念して横浜港発祥の地であった波止場の遺構が整備された緑地。目の前にみなとみらいの風景が広がる。

山下公園・馬車道 ▶ MAP 付録 P.8 B-2

045-671-2888（横浜市港湾局賑わい振興課）　入園自由　横浜市中区海岸通1　みなとみらい線日本大通り駅1番出口から徒歩5分　Pなし

象の鼻カフェ
そうのはなカフェ

象の鼻パークの中にあるカフェで、地元食材を使った軽食や、ゾウをモチーフにしたオリジナルメニューを提供する。クッキーなどのおみやげも。

山下公園・馬車道 ▶ MAP 付録 P.8 B-2

045-680-5677　休 無休　10:00～17:30（曜日により時間変更の場合あり）　横浜市中区海岸通1（象の鼻テラス内）　みなとみらい線日本大通り駅1番出口から徒歩3分　Pなし

ゾウノハナ ソフトクリーム ¥480

1. カフェはアートスペースを兼ね備えた「象の鼻テラス」の中に併設　2. ゾウをモチーフにしたミルクが濃厚なソフトクリーム

Photo:Katsuhiro Ichikawa

パノラマビュー

CHECK

ぜひ見たい!! 豪華客船が入港

国際客船ターミナルなので豪華な大型客船も入港する。巨大な船体を眺めるだけでなく、歓迎・見送りのイベントや船内見学会が行なわれることもあり、入港中はお楽しみいっぱい。

写真:中村庸夫

飛鳥Ⅱ あすかツー

多彩な食事やティータイム、エンターテインメントで極上の休日が過ごせるクルーズ客船。2泊3日のショートクルーズなど多彩なツアーを催行。
スケジュール／HP(https://www.asukacruise.co.jp/)で要確認

ダイヤモンド・プリンセス

イギリス船籍だが三菱重工長崎造船所で建造された日本生まれの客船。国内各地や韓国、台湾など海外の寄港地をめぐるツアーをお手ごろ料金で催行。
入港予定／2024年3～9月

●入港スケジュールはこちらをCHECK
https://www.city.yokohama.lg.jp/kanko-bunka/minato/kyakusen/nyuko/2024.html

横浜三塔を同時に見える場所をめぐると、願いが叶うという伝説がある。

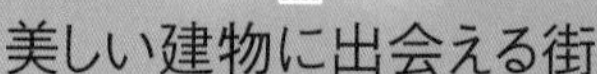

美しい建物に出会える街

山手の洋館で異国情緒を感じる

山手エリアは開港と同時に外国人居留地となった歴史ある土地。
まるで外国に旅行しているかのような、すてきな洋館をめぐってみよう。

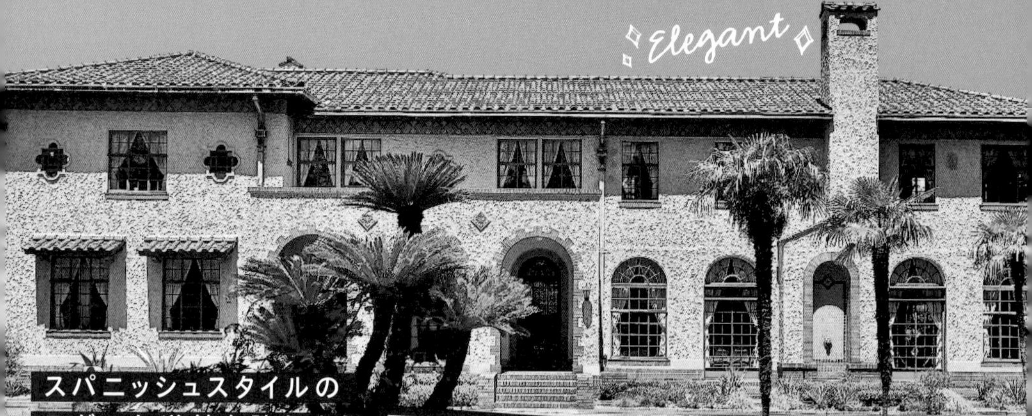

Elegant

スパニッシュスタイルの
モダンな洋館を訪ねよう

ベーリック・ホール

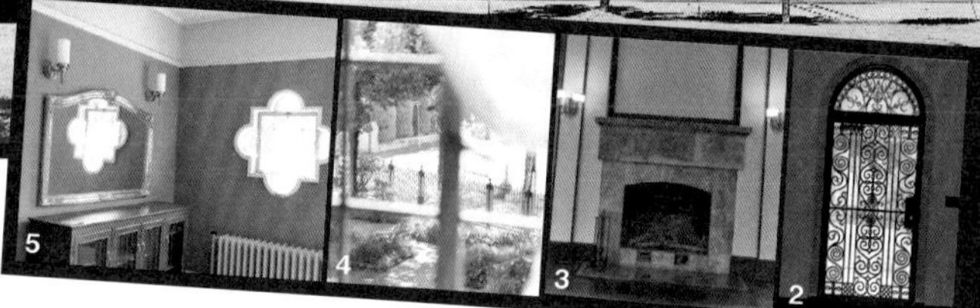

戦前の山手外国人住宅では最大級の規模を誇る、スパニッシュスタイルを基調とした洋館。約90年前に貿易商B.R.ベリック氏の住宅として建築された。三連アーチの玄関や四つ葉の形をした小窓など、建築学的にも価値のある建物で見どころ満載。

山手・元町 ▶ MAP 付録 P.10 B-2

045-663-5685 休 第2水曜（祝日の場合は翌日休） 9:30～17:00（閉館） ¥ 無料 横浜市中区山手町72 みなとみらい線元町・中華街駅6番出口から徒歩8分 P なし

1. 約600坪の広大な敷地に建つ。建物の前には広々とした庭園が 2. 玄関には美しいアイアンワークが施されている 3. 長い歴史を感じさせる荘厳な暖炉 4. 2階の窓からは外の景色がよく見える 5. クワットレフォイルと呼ばれる、四つ葉型のかわいい小窓

洋館グッズをGET

ピリリとあとを引く柿ピーあられの「マダムのあられ」。優雅なデザインで人気を博す。箱入り¥980、袋入り¥700。

立ち寄りCAFE

ブラフガーデンカフェ

外交官の家に併設された喫茶店。高台から横浜の景色を望める抜群のロケーション。庭園に咲く四季折々の花々を楽しめる。

開放感のあるテラス席。景色を楽しみながらのんびりくつろごう

山手・元町 ▶ MAP 付録 P.10 B-3
070-6637-9125 休 第4水曜（祝日の場合は翌日休）
10:00～16:15（閉店は16:30）
横浜市中区山手町16 JR石川町駅元町口から徒歩5分 P なし

外交官の家

がいこうかんのいえ

明治政府の外交官、内田定槌（さだつち）氏の邸宅として明治43（1910）年に東京・渋谷に建造され、1997年に山手イタリア山庭園に移築・復原された。アメリカン・ヴィクトリアン様式の木造建築で国の重要文化財にも指定されている。

山手・元町 ▶ MAP 付録 P.10 B-3
045-662-8819 休 第4水曜（祝日の場合は翌日休） 9:30～17:00（閉館）
¥ 無料 横浜市中区山手町16
JR石川町駅元町口から徒歩5分 P なし

1. 山手イタリア山庭園内にあり、5月には庭園のバラが見ごろを迎える 2. 2階にある主寝室からは当時の外交官の生活ぶりがうかがえる 3. 2階の窓からは庭園の様子がよく見える 4. 1階の窓はアール・ヌーヴォー風のステンドグラスが施されている 5. 優雅な様子が再現された1階の大客間 6. 1階の玄関ホールにあるステンドグラスの扉

&MORE

横浜市イギリス館

よこはましイギリスかん

英国総領事公邸として建てられたコロニアルスタイルの洋館。玄関脇の王冠入りの銘板や正門脇の銅板が由緒を示す。

山手・元町 ▶ MAP 付録 P.10 B-1
045-623-7812 休 第4水曜（祝日の場合は翌日休） 9:30～17:00（閉館）
¥ 無料 横浜市中区山手町115-3
みなとみらい線元町・中華街駅6番出口から徒歩7分 P なし

山手111番館

やまてひゃくじゅういちばんかん

1926年建築のJ.E ラフィンの邸宅。設計はJ.H.モーガンで、建築はスパニッシュスタイルの三連アーチと藤棚のパーゴラが特徴。

山手・元町 ▶ MAP 付録 P.10 B-1
045-623-2957 休 第2水曜（祝日の場合は翌日休） 9:30～17:00（閉館）
¥ 無料 横浜市中区山手町111
みなとみらい線元町・中華街駅6番出口から徒歩7分 P なし

まだある！山手西洋館

山手の西洋館は全部で7館。どの館も見学無料で楽しめるので、のんびりさんぽしながらめぐってみよう。

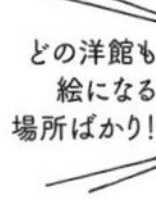

山手の西洋館見学は元町・中華街駅からJR石川町駅へと見てまわると下り坂になりおすすめ！

青い海に
青い空
すてきな風景ばかり！

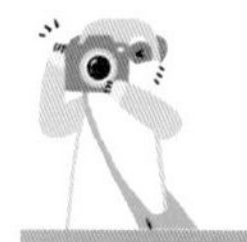

横浜を彩るフォトジェニックな風景

“港町”を感じるさんぽ道

海がすぐそこの横浜は、港町らしいスポットがたくさん。
思わず写真を撮りたくなる、そんな場所をめぐってみよう。

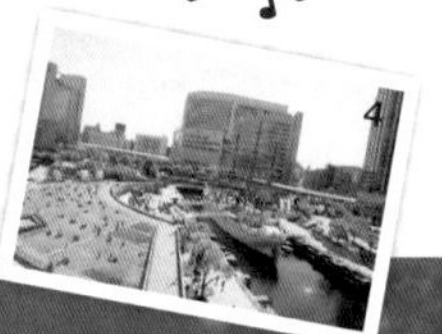

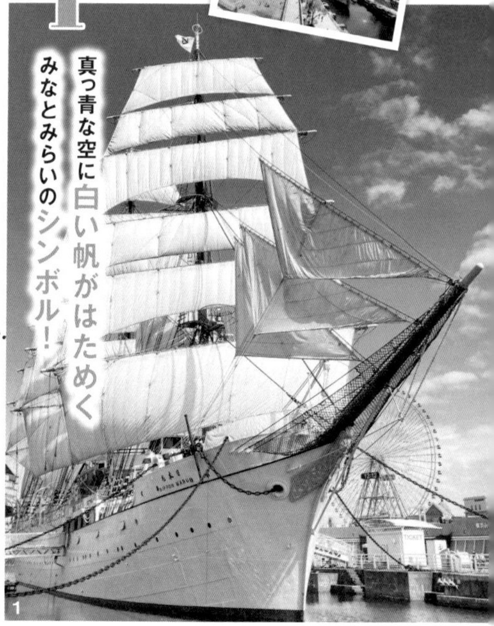

1 真っ青な空に白い帆がはためく みなとみらいのシンボル！

2 海の上にかかる遊歩道

1. 桜木町駅から横浜赤レンガ倉庫方面へ向かう際の近道
2. 当時の面影を残す線路跡が続いている

Spot 2 汽車道

きしゃみち

JR桜木町駅前から新港地区まで約500m続く遊歩道で、みなとみらいのビル群を見ながらさんぽするのにおすすめ。約110年前に開通した臨港鉄道の一部を整備して造られており、当時のレールの跡も残っている。

みなとみらい ▶ MAP 付録 P.7 C-3

045-671-2888（横浜市港湾局賑わい振興課） 横浜市中区新港2 JR桜木町駅東口から徒歩3分、みなとみらい線馬車道駅2番出口から徒歩5分 P なし

1. 2023年総帆展帆時の日本丸 2. 船内の美しいステンドグラス 3.「横浜みなと博物館」内にはミュージアムショップも 4. 公園内は無料で入れる

Spot 1 日本丸メモリアルパーク

にっぽんまるメモリアルパーク

「帆船日本丸」が保存されている公園。横浜港の歴史などを伝える「横浜みなと博物館」を併設する。屋上の芝生広場は休憩するのにぴったり。日本丸が帆をすべて広げる総帆展帆は、年に12回ほど開催している。

みなとみらい ▶ MAP 付録 P.7 C-3

045-221-0280（帆船日本丸・横浜みなと博物館） 休 無休、日本丸と博物館は月曜（祝日の場合は翌日休） 入園自由、日本丸と博物館は10:00〜16:30（閉館は17:00） ¥ 無料（帆船日本丸と横浜みなと博物館の共通入館券は800円） 横浜市西区みなとみらい2-1-1 JR桜木町駅南改札東口から徒歩5分 P なし

5 青空と海と船を一望! 大パノラマを楽しもう

1. 灯台時代は紅白の外観だったが、現在はシルバーになっている 2. レストランから見える美景にも注目

3 大観覧車に乗ってのんびり空中さんぽ

1. 全高112.5mの大観覧車「コスモクロック21」¥900
2. 水中突入型ダイビングコースター「バニッシュ!」¥900

海鳥が休憩する姿も!

4 世界中を旅した豪華貨客船で船員気分を体験

1. 山下公園前に係留されている氷川丸は横浜港のシンボル 2. 連絡手段となる伝声管や位置を知るためのテレグラフなどが見られる船の中枢部である操舵室

Flag

Spot 5 横浜マリンタワー

よこはまマリンタワー

かつては灯台として港を見守ってきた横浜のシンボル。低層階にはレストランやカフェ、バーのほか、おみやげショップも併設されており、食事や買い物と合わせて横浜の港を満喫できる。

山下公園・馬車道 ▶ MAP 付録 P.9 D-1

045-664-1100 休 無休
10:00～22:00(最終入場は21:30)
¥ 展望フロア1,000円～(料金は時間帯や曜日により異なる)
横浜市中区山下町14-1
みなとみらい線元町・中華街駅4番出口からすぐ P なし

Spot 4 日本郵船氷川丸

にっぽんゆうせんひかわまる

90年以上前にシアトル航路用に建造された豪華貨客船。往時は高名なゲストを乗せて、おもに北米航路を旅し、"海に浮かぶ最高級ホテル"と讃えられた。船内見学のほか、土・日曜、祝日はオープンデッキに出ることもできる。

山下公園・馬車道 ▶ MAP 付録 P.9 C-1

045-641-4362 休 月曜(祝日の場合は翌平日休) 10:00～16:30(閉館は17:00) ¥ 300円 横浜市中区山下町 山下公園地先 みなとみらい線元町・中華街駅4番出口から徒歩3分 P なし

Spot 3 よこはまコスモワールド

大観覧車「コスモクロック21」が目印の都市型立体遊園地。園内には絶叫系が集まるワンダーアミューズ・ゾーン、ユニークな乗り物が多いブラーノストリート・ゾーンなどがある。デートスポットとしても人気がある。

みなとみらい ▶ MAP 付録 P.7 C-2

045-641-6591 休 木曜(祝日の場合は営業)※繁忙期は除く 11:00～21:00(土・日曜、祝日は～22:00)※季節により異なる ¥ 入場無料(アトラクションは別途) 横浜市中区新港2-8-1 みなとみらい線みなとみらい駅クイーンズスクエア連絡口からすぐ P なし

夜の「汽車道」からは、運河の水面に反射したロマンティックなみなとみらいの夜景が楽しめる♥

History & Roman

横浜に息づく歴史を感じる

歴史とロマンあふれるクラシック建築

幕末の開港から約160年になる横浜には、歴史的価値の高い洋風建築が数多く残る。
レトロで異国情緒漂う建物をめぐってみよう♪

横浜市開港記念会館

よこはましかいこうきねんかいかん

赤と白のコントラストが映える大正期赤レンガ建築の到達点。高さ36mの時計塔は街のシンボルになっている。横浜開港50周年の記念建築物で、建設当時は政財界のサロンや文化施設として利用された。大阪中之島公会堂と並ぶ大正期二大公会堂建築。

山下公園・馬車道 ▶ MAP 付録 P.8 B-3

045-201-0708 休 第2水曜
10:00〜16:00 ¥無料
横浜市中区本町1-6
みなとみらい線日本大通り駅1番出口からすぐ P なし
※2024年4月から館内見学再開予定

1. 避雷針の王冠は関東大震災や横浜大空襲も耐え抜き、当時の姿を今に伝える
2. 赤レンガと花崗岩を取り混ぜた辰野式フリークラッシックスタイルの建物
3. 2階ホールと中央階段の壁面には、精巧で色彩豊かなステンドグラスが見られる
4. 幕末の黒船が描かれ、日本のステンドグラス史においても価値が高い

ロマンティックな雰囲気

JACK

美しいステンドグラスが演出する
ノスタルジックで異国情緒漂う空間

History

関東大震災で半壊したが昭和2(1927)年に復旧。その際の構造補強は、レンガ造建築の貴重な構造補強例になっている。

神奈川県庁本庁舎

かながわけんちょうほんちょうしゃ

和洋の建築様式を調和させた外観で、中央の塔は五重塔がモチーフとなっている本庁舎。夜はライトアップされ、高さ49mにもなる塔が闇夜に照らされる景色は、キングの愛称にふさわしい荘厳な雰囲気がある。

山下公園・馬車道 ▶ MAP 付録 P.8 B-2

045-210-2620　休 土・日曜、祝日
8:30〜17:15　¥ 無料
横浜市中区日本大通1
みなとみらい線日本大通り駅県庁口からすぐ　P なし

Discovery

クラシック建築

横浜税関

よこはまぜいかん

イスラム寺院を連想させるドーム型屋根の塔が印象的な、5階（一部7階）建ての建物。資料展示室は一般見学自由になっており、横浜税関の業務内容などがわかる。海のそばに建っているため、ライトアップされた姿が海面に映り、格別の美しさがある。

山下公園・馬車道 ▶ MAP 付録 P.8 B-2

045-212-6053
休 無休（施設点検日を除く）
10:00〜16:00　¥ 無料　横浜市中区海岸通1-1　みなとみらい線日本大通り駅1番出口から徒歩3分　P なし

night view

QUEEN

History

完成当時、塔は横浜一の高さを誇った。ドームは当初赤銅色だったが長い時間を経て現在のような美しい緑青色となった。

エキゾチックなムード漂う優雅な緑青色のドーム形屋根

& MORE

まだある!レトロ建築

神奈川県立歴史博物館

かながわけんりつれきしはくぶつかん

旧横浜正金銀行本店の建物を利用した歴史博物館。重厚なネオ・バロック様式は国の重要文化財にも指定されている。

山下公園・馬車道 ▶ MAP 付録 P.8 A-3

045-201-0926　休 月曜（祝日の場合は開館）、資料整理日　9:30〜16:30（閉館は17:00）　¥ 300円（特別展は別途）　横浜市中区南仲通5-60　みなとみらい線馬車道駅5番出口からすぐ　P なし

横浜三塔 View Point!

キング、クイーン、ジャックの名で親しまれる横浜三塔を一度に見られる場所へ！

横浜のなかでも特に歴史的価値が高い3つの塔である横浜三塔。これらを同時に見ることができる場所をめぐると、願いが叶うという伝説も。大さん橋（≫P.52）の屋上からの眺めは、特によく見えるスポットとして有名。

関東大震災で大きな被害を受けた横浜。クラシック建築は震災復興のシンボルでもある。

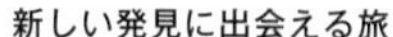

横浜ならではのアートに出会う

横浜でアートwatch

日本有数のコレクションを誇る美術館に、展示を一新した美術館。
横浜の街にはアートがあふれている！

見どころPOINT
日本の広告史としても貴重な資料が数多く展示される

横浜を愛した
戦後日本を代表する
イラストレーターのミュージアム

柳原良平アートミュージアム

やなぎはらりょうへいアートミュージアム

「横浜みなと博物館」内に位置し、2022年に展示替えを実施したミュージアム。柳原良平氏はトリスウイスキーのCMでもおなじみの「アンクルトリス」の生みの親として知られる、戦後日本を代表するイラストレーター。

みなとみらい ▶ MAP 付録 P.7 C-3
☎045-221-0280（帆船日本丸・横浜みなと博物館）
休 月曜（祝日の場合は翌日休）、そのほか臨時休館日あり 🕒10:00～16:30（閉館は17:00）
¥500円 📍横浜市西区みなとみらい2-1-1
🚶JR桜木町駅南改札東口から徒歩5分
P なし

1.3.入口ではアンクル船長がお出迎え　2.柳原氏の作品や愛用していた品などが展示されている　4.柳原氏の代表作のひとつ、1981年の横浜市観光協会のポスター　5.1961年に制作された、寿屋の「トリスを飲んでHawaiiへ行こう！」のポスター（シルクスクリーン）

ミュージアムグッズをGET!

**横浜みなと博物館
ミュージアムショップ**

よこはまみなとはくぶつかんミュージアムショップ

横浜みなと博物館内にあるミュージアムショップ。柳原良平グッズも多数あり、来館記念にぜひゲットしたい。
🕒10:00～17:00

1.アンクルトリスなどのキャラクターのピンバッジ「柳原良平ピンバッジ」全11種、各¥660　2.柳原良平氏の作品の「ポストカード」各¥165　3.「柳原良平缶バッジ」各¥110

Discovery

横浜美術館のリニューアルエリアをご紹介

2024年3月15日にリニューアルオープンし、2025年2月に全館始動を予定している横浜美術館。大空間「グランドギャラリー」を中心に無料エリアが拡張し、誰もがより自由に過ごせる空間となる。

※下記のエリアは2025年2月以降にオープン予定

オリジナルの机や椅子を利用しながら作品や建築を眺められる「まるまるラウンジ」。カフェのドリンクや会話も楽しめる

リラックスしながら子どもと一緒に楽しめるエリア。館内には授乳室や調乳器も導入され、家族連れでも安心して利用できる

「グランドギャラリー」の全体を見渡せるエリア。ワークショップの開催場所になったりと、さまざまな形で利用者をお出迎え

イラスト:乾久美子建築設計事務所

&MORE

3年に1度の現代アートの国際展

横浜の街がアートに染まる、現代アートの祭典に行ってみよう!

横浜トリエンナーレ よこはまトリエンナーレ

世界最新の動向もうかがえる、日本を代表する現代アートの国際展。第8回展は2024年3月15日から6月9日に開催される。

みなとみらいほか ▶ MAP 付録 P.6 B-3

045-663-7232(平日10:00~18:00/横浜トリエンナーレ組織委員会事務局) 横浜市西区みなとみらい3-4-1 横浜美術館ほか みなとみらい線みなとみらい駅3番出口から徒歩3分(横浜美術館)ほか

ニック・ケイヴ 《回転する森》2016年(2020年再制作) ©Nick Cave 「ヨコハマトリエンナーレ2020」展示風景 撮影:大塚敬太 写真提供:横浜トリエンナーレ組織委員会

1.横浜美術館の美しい外観
2.開放的な「グランドギャラリー」 撮影:新津保建秀

見どころPOINT
1万4000点以上の日本有数のコレクションを持つ美術館

横浜美術館

よこはまびじゅつかん

近代・現代の貴重な美術品を収蔵

故・丹下健三が設計を手がけた美術館。19世紀半ばから現代までの国内外の美術品を収蔵。コレクション展や企画展を年に数回開催している。横浜にゆかりのある作家のコレクションも多数取りそろえている。

みなとみらい ▶ MAP 付録 P.6 B-3

045-221-0300 休 木曜 10:00~17:30(閉館は18:00) ¥ 展覧会により異なる 横浜市西区みなとみらい3-4-1 みなとみらい線みなとみらい駅3番出口から徒歩3分 P 157台

運命の一冊に出会えるアートな古書店

Enjoy!

見どころPOINT
なかなか手に入らない貴重な美術書のセレクト。見ていて飽きない

黄金町アートブックバザール

こがねちょうアートブックバザール

街全体でアートに取り組む黄金町エリア。アート、デザイン、建築、工芸、ファッション写真集、展示会図録など、広い意味でアート・美術に関わる商品を扱う。地元アーティストの作品展示やグッズ販売も行う。

黄金町 ▶ MAP 付録 P.4 B-3

045-231-9559 休 無休 10:00~13:00、14:00~18:00 横浜市中区日ノ出町2-145 日ノ出スタジオⅢ棟 京急線日ノ出町駅から徒歩3分 P なし

1.蔵書は約3万点以上。お宝が眠っているかも!?
2.蔵書には、美術関係者からの寄付によるものも多い
3.近あづきさんの作品「お花のブローチ」¥1,980

Filming Location

COLUMN
Filming Location

ドラマで舞台になったと話題

ヨコハマのロケ地めぐり!

憧れのシーンで使われた場所へ行ってみよう!

おしゃれな建物や美しい景色の多い横浜は、ドラマなどのロケ地に数多く使われている。話題作の印象的なシーン、憧れのシーンで使われた場所へ行ってみよう! ロケ地めぐりをしていたらドラマの撮影隊と遭遇した、なんてこともあるかも?

TV

『逃げるは恥だが役に立つ』

ガッキーのかわいさに日本中が夢中! 契約結婚を題材にした新感覚ラブコメディー。エンディングの"恋ダンス"は社会現象に。

【主演】新垣結衣　星野源　「逃げるは恥だが役に立つ」新春SP+ムズキュン!特別編　Blu-ray&DVD好評販売中　発売元:TBS　発売協力:TBSグロウディア　販売元:TCエンタテインメント　©海野つなみ/講談社　©TBSスパークル/TBS

熊猫飯店 ぱんだはんてん

香辛料を独自に調合した辛さと痺れがクセになる麻婆豆腐が名物。財布に優しいランチも充実している。

山下公園・馬車道 ▶ MAP 付録 P.13 C-4

☎045-651-1068　休無休　⏰11:00~22:00　📍横浜市中区山下町106-1　🚶みなとみらい線元町・中華街駅2番出口から徒歩3分　Pなし

本場中国から招いた料理人が本格四川・広東料理を振る舞う

写真提供:横浜中華街発展会協同組合©薬袋勝代

＼第6話／

こんなシーンで登場!

みくりが親友の安恵とランチしていた中華飯店

Alte Liebe

アルテリーベ

ウィーンの芸術様式にこだわった内装は、華麗かつモダン。音楽家による演奏を聴きながら、本格フレンチを楽しめる。

山下公園・馬車道 ▶ MAP 付録 P.9 C-2

☎045-222-3346
休月・火曜(祝日の場合は営業)
⏰11:30~13:30(閉店は15:00)、17:30~19:30(閉店は22:00)
📍横浜市中区日本大通11　横浜情報文化センター1階　🚶みなとみらい線日本大通り駅3番出口から徒歩3分　Pなし

昭和初期に建てられたビルの1階が店舗

＼第10話／

こんなシーンで登場!

平匡がみくりを連れて訪れたレストラン。王子様モードでみくりにプロポーズするも……

TV

『義母と娘のブルース』FINAL 2024年謹賀新年スペシャル

2018年に放送された『ぎぼむす』がついに完結。義母・亜希子と娘・みゆきの新たな門出が描かれる。

【主演】綾瀬はるか　発売協力:TBSグロウディア　7月10日発売　Blu-ray初回生産限定版¥7,150(通常版¥6,380)、DVD初回生産限定版¥6,050(通常版¥5,280)、(発売元:TBS、販売元:TCエンタテインメント)　©桜沢鈴/ぶんか社　©TBS

アニヴェルセル みなとみらい横浜

アニヴェルセルみなとみらいよこはま

みなとみらいの中心にあり、空と海を一望できる横浜らしいロケーションの結婚式場。海沿いのオープンカフェは雰囲気抜群。

みなとみらい ▶ MAP 付録 P.7 C-2

☎045-226-2088　休火・水曜(祝日の場合は営業)
⏰11:00~18:00(土・日曜、祝日は9:00~)　📍横浜市中区新港2-1-4　🚶みなとみらい線みなとみらい駅5番出口から徒歩7分　Pあり

観覧車をバックに印象的な建物が青空に映える

＼完結編／

こんなシーンで登場!

みゆきと大樹が式を挙げた会場がココ。ステンドグラスが美しい大聖堂が印象的

TV

『マイ・セカンド・アオハル』

30歳の白玉佐弥子が、謎の大学生・小笠原拓との出会いをきっかけに大学生となり、第二のアオハルをスタートさせていく姿を描いたラブコメディ。

【主演】広瀬アリス　発売協力:TBSグロウディア　5月15日発売　Blu-ray¥29,645、DVD¥24,200(発売元:TBS、販売元:TCエンタテインメント)
©TBSスパークル/TBS

横浜港大さん橋国際客船ターミナル

よこはまこうおおさんばしこくさいきゃくせんターミナル

みなとみらいの反対側には横浜ベイブリッジ

美しい海と空が広がる開放的な景色が見られる人気スポット。海の上にせり出して造られているので、まるで船上にいるよう。

山下公園・馬車道 ▶ MAP 付録 P.8 B-1

»P.52

＼第9話／

こんなシーンで登場!

9話のデートシーンで登場。自分のために夢を諦めようとする拓に、佐弥子は別れを告げ……

おいしいもの、そろってます

Gourmet

憧れの名店から日本初上陸の話題店まで、
横浜の"旬"が勢ぞろい。
おいしい&おしゃれ&フォトジェニックを
ぜ〜んぶ味わいたい！

I love sweets

パティスリー パブロフ
»P.72

贅沢な"おいしい"を味わう

憧れの名店で至福のランチ

横浜屈指の名店の味！

せっかくの横浜観光。ランチは憧れの店でちょっと贅沢したい！
そんなときにおすすめの人気店はこちら♪

menu
スパゲッティ
ナポリタン
¥2,277

DELICIOUS!

menu
シーフード
ドリア
¥3,162

1. ホテル内のカフェ
2. 店内はクラシカルな雰囲気で統一
3.「チョコレートパフェ」¥2,024
4. 伝統の「プリン・ア・ラ・モード」¥2,024

伝統を守り続ける名店で
ゆったりしたひとときを

ザ・カフェ

昭和2（1927）年開業のクラシックホテル「ホテルニューグランド」内にあるカフェレストラン。歴代のシェフが受け継いできたフレンチをベースに、軽食からスイーツまで多彩なメニューを提供する。ホテル発祥の「シーフードドリア」「スパゲッティ ナポリタン」などの料理が人気。

山下公園・馬車道 ▶ MAP 付録 P.13 D-1
☎045-681-1841（ホテルニューグランド） 休 無休
🕒10:00～21:00（閉店は21:30） 📍横浜市中区山下町10
🚶みなとみらい線元町・中華街駅1番出口からすぐ P 118台

1. 魚料理の一例　2. 肉料理の一例。コースはほかにオードブル、デザート、カフェが付く　3. 港崎町遊郭の料亭「岩亀楼」をイメージした洋館のたたずまい　4. テーブルを挟んで上質なひとときを　5. 1階はプチホテルのラウンジを思わせる

店名は大佛次郎の小説『霧笛』に由来するよ

元町にある憧れの名店!
心ときめく横濱フレンチ

仏蘭西料亭 横濱元町 霧笛楼

ふらんすりょうていよこはまもとまちむてきろう

横浜のフレンチを牽引する名店。素材本来の味を存分に引き出し、伝統的なフランス料理を横浜スタイルにアレンジした料理を楽しめる。

山手・元町 ▶ MAP 付録 P.11 C-4
☎045-681-2926
休 月・木曜不定休
12:00～13:00(L.O.)、17:30～19:00(L.O.)　¥ サービス料別途
横浜市中区元町2-96　JR石川町駅元町口から徒歩8分
P なし

1. 高温の薪窯で焼くピザは表面はサクッと、中はモチモチの食感　2. カウンター席からは匠の技を目の前で楽しめる　3. 本場ナポリをイメージ

日本のマエストロが作る絶品ナポリピザ

Sisiliya　シシリヤ

シチリア島で修業したオーナーが"本場の味を伝えたい"と開いた店。予約がなかなか取れないことで有名なので、早めの予約がおすすめ。

山下公園・馬車道 ▶ MAP 付録 P.8 B-3
☎045-671-0465　休 日曜　17:00～22:30(閉店は23:00)
横浜市中区相生町1-7 和同ビル1階
JR関内駅南口から徒歩3分　P なし

人気店なので予約するのがベターだよ!

1. ランチコースのピッツァ。ほかに前菜やドルチェが付く
2. 白を基調とした高級感ある店内

横浜駅西口の人気店で
本格イタリアンに舌鼓

CAMBUSA　カンブーザ

イタリアで修業を積んだシェフによる郷土料理と、職人による窯焼きピッツァが自慢の本格的なイタリアンレストラン。イタリア食材や鎌倉野菜などを使っている。

横浜駅周辺 ▶ MAP 付録 P.14 B-2
☎045-512-8882　休 月曜(祝日の場合は翌日休)　11:30～13:30(閉店は14:30)、18:00～20:30(閉店は22:00)　横浜市神奈川区鶴屋町2-11-2　JR横浜駅西口から徒歩4分　P なし

「ザ・カフェ」で人気の窓際席に座るならオープン同時の入店がおすすめ！

心ときめく♡幸せの味
ふわっふわのパンケーキ

横浜でも定番スイーツとなったパンケーキは絶対にはずせない！
個性豊かな人気店のなかから、お気に入りを見つけよう。

menu
幸せの
パンケーキ
¥1,380
厳選された素材を使って焼き上げる生地は、"ふわとろ"の食感

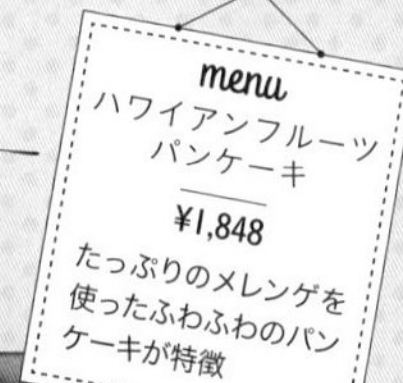

1. 鉄板で20分かけてじっくり焼くことで、ふわとろの食感に　2.「季節のフレッシュフルーツパンケーキ」1680円

1. たっぷりの生クリームと新鮮なフルーツが贅沢にのる　2.「マカダミアナッツクリームパンケーキ」¥1,518

口も心も癒やしてくれる
極上のやわらか食感

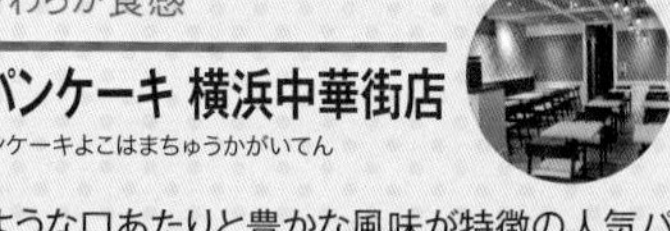

幸せのパンケーキ 横浜中華街店

しあわせのパンケーキよこはまちゅうかがいてん

とろけるような口あたりと豊かな風味が特徴の人気パンケーキ店。高純度のマヌカハニー、北海道産の生乳から作る発酵バターなど、使用する食材にもとことんこだわっている。ナチュラルテイストで落ち着いた店内にはハンモック席という珍しい席もある。

横浜中華街 ▶ MAP 付録 P.13 C-3
☎045-681-8686 休不定休
🕒10:00～17:15(土・日曜、祝日は～18:40) 📍横浜市中区山下町97 一石屋ビル1階 👣みなとみらい線元町・中華街駅3番出口から徒歩3分 Pなし

フルーツたっぷりで
南国気分のパンケーキ♪

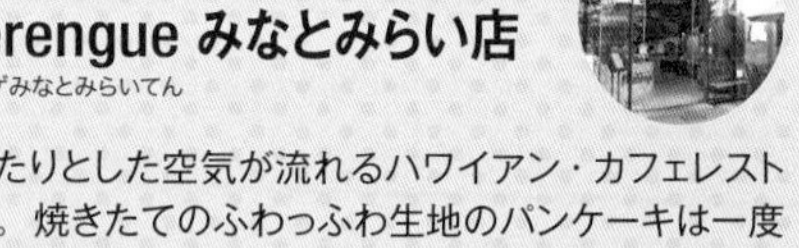

Merengue みなとみらい店

メレンゲみなとみらいてん

ゆったりとした空気が流れるハワイアン・カフェレストラン。焼きたてのふわっふわ生地のパンケーキは一度食べたらやみつきになること間違いなし！ ほかにもボリューム満点の本格ロコフードや、コナコーヒーなどが味わえる。

みなとみらい ▶ MAP 付録 P.6 A-3
☎045-227-2171 休無休
🕒8:00～21:00(金・土曜、祝前日は～21:30) 📍横浜市西区みなとみらい4-4-1 横浜野村ビル1階
👣みなとみらい線新高島駅3番出口から徒歩3分 P172台

1. 過去人気NO.1の数量限定メニューが生地にこだわり、装いも新たにおいしく進化
2. スイーツではなく食事としてパンケーキを楽しめる「熟成ベーコンのエッグベネディクト パンケーキ」¥1,650

ふわふわのホイップクリーム
たっぷりのふわもちパンケーキ

Butter

バター

北海道産発酵バターをはじめ料理に合わせた各国のバターを使用し、こだわりのパンケーキを提供。パンケーキ以外のスイーツも多数そろえており、14種類ものティーメニューも人気。天気の良い日はテラス席を利用してみよう。

横浜駅周辺 ▶ MAP 付録 P.15 C-2

045-620-5069　休無休　11:00～19:15(閉店は20:00)、金～日曜、祝日は～20:00(閉店は21:00)　横浜市神奈川区金港町1-10横浜ベイクォーター2階　JR横浜駅きた東口Aから徒歩3分　P730台

1. パンケーキに添えられたチョコフォンデュソースといちごの酸味が見事にマッチ
2. フライドチキンとサワーソース＆タルタルの相性が抜群の「ディープフライドチキン(ライス付き)」¥1,390円

二度楽しめる
チョコフォンデュソース

湘南パンケーキ 横浜みなとみらい店

しょうなんパンケーキよこはまみなとみらいてん

"ローカルに愛される·ローカル目線で"がコンセプト。こだわりのパンケーキの小麦には「湘南小麦」を使用し、オーダーが入るごとにメレンゲと合わせて焼くふわふわ食感が自慢。

みなとみらい ▶ MAP 付録 P.6 B-3

045-222-7761　休不定休(ランドマークプラザの休業日に準じる)　11:00～20:00(閉店は21:00、土·日曜、祝日は10:00～)　横浜市西区みなとみらい2-2-1 ランドマークプラザ1階　みなとみらい線みなとみらい駅クイーンズスクエア連絡口から徒歩3分　P1400台

1. 2枚重ねの厚いパンケーキがインパクト抜群。名前入れも対応している
2. シロップの甘みとチーズの塩味が好相性な「ツナと焼きりんごのチーズメルトサンド メープルシロップがけ」¥1,408円

極厚パンケーキと
多彩なプレートが自慢

マーファカフェ 横浜モアーズ店

マーファカフェよこはまモアーズてん

アメリカ西海岸とメキシコがミックスしたカフェ。パンケーキの種類が充実するほか、ランチにうれしいプレートも豊富にそろう。本物のサボテンやキリムを配した店内演出にも注目。

横浜駅周辺 ▶ MAP 付録 P.14 B-3

045-594-6201　休不定休(横浜モアーズの休業日に準じる)　10:00～22:00(閉店は23:00)　横浜市西区南幸1-3-1 横浜モアーズ3階　JR横浜駅西口からすぐ　Pなし

スイーツとしてのパンケーキだけでなく、ランチや朝食にもぴったりなおかず系パンケーキにもトライしてみよう！

優雅な気分に浸るティータイム

おしゃれ空間カフェでブレイク♪

歴史的建造物を活用したカフェや花々に囲まれたカフェ……。
落ち着けるすてきな空間でまったりした時間を過ごそう。

高級感あふれる空間で 極上のスイーツを堪能

tips

心煌めくひとときを クラシックな空間で

デザイナーの水戸岡鋭治氏による木のぬくもりを感じる懐かしくも新しいクラシックな空間。

2

menu
THE MONTE ROSA
¥850

1

3

1. ハンドドリップのコーヒーとスイーツのペアリングも楽しめる 2. 八ヶ岳産の希少なハーブ卵や和三盆などの厳選素材を使用した贅沢なショートケーキ 3. フランス産マロンペーストを使用し、上品な味わいに仕上げたモンブラン

歴史を感じさせるメロウな佇まい

THE ROYAL CAFE YOKOHAMA MONTE ROSA

ザロイヤルカフェヨコハマモンテローザ

創業60年を超える横浜の老舗洋菓子店「パティスリー モンテローザ」と観光列車「THE ROYAL EXPRESS」がコラボしたカフェ。「THE ROYAL EXPRESS」の世界観で手作りスイーツが楽しめる。

横浜駅周辺 ▶ MAP 付録 P.14 B-3

☎045-628-9750 休無休
営9:00～19:00(L.O.18:45)
横浜市西区南幸1-1-1 東急東横線横浜駅B2階
東急東横・みなとみらい線横浜駅構内 Pなし

1. 広々としたテーブルが並ぶ店内　2. ドリップコーヒーの販売も　3.「ローストチキンのメキシカンコブサラダ グリーンゴッデスドレッシング」¥1,700

カリフォルニアを感じる
スタイリッシュカフェ

RHC CAFE MINATOMIRAI

アールエイチシーカフェミナトミライ

カリフォルニア発のスペシャリティストア、Ron Hermanから誕生した「RHC Ron Herman」に併設するカフェ。ボリューム満点の旬の食材を使ったメニューをアメリカンスタイルで食べよう。店内にはショップも併設する。

みなとみらい ▶MAP付録 P.6 B-3
045-319-6702　休不定休　10:00～19:00(ドリンクは19:30まで、閉店は20:00)、金～日曜、祝日、祝前日は～20:00(ドリンクは20:30まで、閉店は21:00)　横浜市西区みなとみらい3-5-1 MARK IS みなとみらい1階　みなとみらい線みなとみらい駅直結、JR桜木町駅北改札東口から徒歩8分　P900台

1. 緑の壁にたくさんの雑誌が陳列された部屋
2. 2階は半個室やソファ席もあり、くつろぎの時間が過ごせる
3. ラテアートがかわいい「カプチーノ」¥650

フォトジェニックを追求したカフェ

rokucafe

ロクカフェ

古い家屋を改装したフォトジェニックな一軒家カフェ。オムライスをはじめとした料理やコーヒー、アルコールなど、メニューが充実。コーヒーは一部テイクアウトも可能。

横浜駅周辺 ▶MAP付録 P.4 A-3
045-311-1114　休無休
11:30～21:00(土・日曜、祝日は～22:00)
横浜市西区北幸2-11-23
JR横浜駅西口から徒歩8分　Pなし

「rokucafe」は10人前後で貸切利用もできる

贅沢な"おいしい"を味わおう

I♡サンドイッチ&ハンバーガー

ヘルシーでボリューミー、もちろんおいしい♡
横浜の人気サンドイッチ、ハンバーガーの店に行ってみよう！

A **ハンバーグサンドランチ** ¥1,350
オリジナルソースがからんだハンバーグと自家製パンとの相性が抜群

ボリューム満点のプレート

A **ハンバーガー** ¥1,350
フレッシュなレタスやトマトを香ばしく焼き上げたパティと一緒にサンドしている

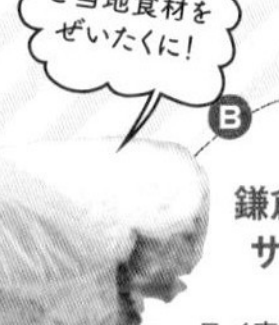

ご当地食材をぜいたくに！

B **鎌倉ハム3種のサンドイッチ** ¥850
ライ麦パンで野菜と3種の鎌倉ハムをサンド。絶妙なハムの塩気が食欲をそそる

バンズのおいしさに感動！

Yummy Sandwich

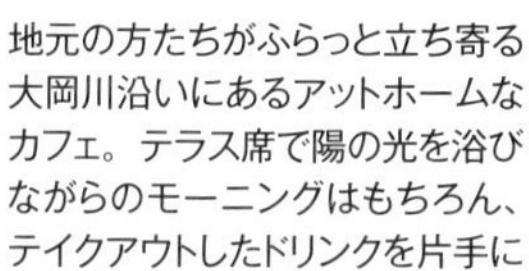

大岡川散歩で立ち寄りたい
地元密着の駅近カフェ

C CAFE GEEK
カフェギーク

地元の方たちがふらっと立ち寄る大岡川沿いにあるアットホームなカフェ。テラス席で陽の光を浴びながらのモーニングはもちろん、テイクアウトしたドリンクを片手に川沿い散歩もおすすめ。

日ノ出町 ▶ MAP 付録 P.4 B-3
☎045-315-2815 休月曜 🕒9:00～19:00 📍横浜市中区日ノ出町1-200 日ノ出サクアス1-11 🚶京急日ノ出町駅から徒歩すぐ Pなし

横浜港を目の前に象モチーフの
メニューを楽しむ

B 象の鼻カフェ
ぞうのはなカフェ

ソフトクリームやスコーンなど、象をモチーフにしたスイーツや地元食材を使った料理がそろう。店内からガラス越しにみなとみらいの風景が一望できる。

山下公園・馬車道 ▶ MAP 付録 P.8 B-2
☎045-680-5677 休無休 🕒10:00～18:00(曜日により時間変更の場合あり) 📍横浜市中区海岸通1(象の鼻テラス内) 🚶みなとみらい線日本大通り駅1番出口から徒歩3分 Pなし

赤い扉が目をひく
パンが人気のカフェ

A Paty Cafe
パティーカフェ

サンドイッチやグラタンパンをはじめ、店で食べられるパンはすべてパン職人のオーナーによる手作り。紅茶やハーブティーなどドリンクメニューも充実している。

山手・元町 ▶ MAP 付録 P.10 B-2
☎045-664-2740 休月・火曜(祝日の場合は翌日休) 🕒11：00～18：00 📍横浜市中区元町2-80-22 🚶みなとみらい線元町・中華街駅5番出口から徒歩7分 Pなし

Saku Saku

E
アップルチークス
¥1,595
鉄板で蒸し焼きにしたパンはカリッとした食感！そしてチーズはトロトロ♪

豚バラとりんごがベストマッチ！

F
ドライベジーバーガー
¥1,485
食べ応えのある粗挽きパティと、甘みのある干し野菜を使うこだわりの逸品

C
ハム&チーズサンドイッチ
¥530
ハム、チーズ、レタスなどなどを挟んだ定番メニュー。ドリンクセットは¥800～

お店の定番メニュー

ボリュームも満点♪

D
シャックバーガー
¥979(シングル)
肉のうま味があふれる看板商品。レタス、トマト、シャックソースをトッピング

人気アイス「コンクリート」¥836
有名ブランドとのコラボフレバー

Gourmet
サンドイッチ&ハンバーガー

ボリューム満点の
アメリカンバーガー

F Roller Coast みなとみらい店
ローラーコーストみなとみらいてん

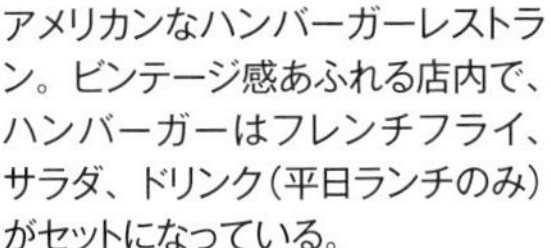

アメリカンなハンバーガーレストラン。ビンテージ感あふれる店内で、ハンバーガーはフレンチフライ、サラダ、ドリンク（平日ランチのみ）がセットになっている。

みなとみらい ▶ MAP 付録 P.7 D-1

045-319-4377　休 無休　11:00～21:00（ドリンクは～21:30）　横浜市中区新港1-3-1 MARINE & WALK YOKOHAMA2階　みなとみらい線馬車道駅6番出口から徒歩9分　P 89台

新感覚サンドを
雰囲気抜群のダイナーで

E BUY ME STAND MOTOMACHI
バイミースタンドモトマチ

アメリカンダイナー風のサンドイッチ店。N.Y.で出会ったサンドイッチをもとにした「アップルチーク」など、具材の組み合わせにこだわったメニューが特徴。

山手・元町 ▶ MAP 付録 P.10 B-2

045-264-4405　休 無休
9:00～17:30（閉店は18:00）
横浜市中区元町2-108 lofts405
みなとみらい線元町・中華街駅５番出口から徒歩４分　P なし

ニューヨーク発の
人気グルメバーガー

D Shake Shack みなとみらい店
シェイクシャックみなとみらいてん

ホルモン剤フリーのアンガスビーフ100%のパティなど、素材にこだわるハンバーガーレストラン。オリジナルデザートやクラフトビールも提供している。

みなとみらい ▶ MAP 付録 P.6 B-3

045-232-4032　休 無休
11:00～22:00　横浜市西区みなとみらい2-3-2 みなとみらい東急スクエア①2階　みなとみらい線みなとみらい駅直結　P 1700台

「Shake Shack みなとみらい店」ではテイクアウトの事前予約やデリバリーが可能。詳細は公式HPから確認してみよう。

かわいさと甘さに癒やされちゃう♪

Fresh Fruits＆フォトジェニックSweets

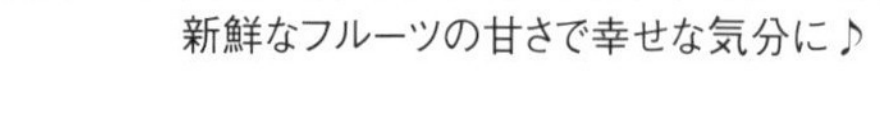

見ているだけでもワクワクする、かわいいスイーツが勢ぞろい！
新鮮なフルーツの甘さで幸せな気分に♪

パティスリー パブロフ

まるでパリのおしゃれなお菓子屋さんのようなカフェ。看板商品である新鮮なフルーツやナッツで彩られた生パウンドケーキはおみやげにもピッタリ。本日のパウンドケーキ5種が味わえるケーキセットもおすすめ。パリ風の上品なティータイムが楽しめる。

山手・元町 ▶ MAP 付録 P.13 D-3

045-641-1266 休 月曜(祝日の場合は翌日休)
11:00～19:00 横浜市中区山下町105
みなとみらい線元町・中華街駅３番出口からすぐ
P なし

1.「オリジナルアソート」¥2,214(7個入) 2. シックなパリ風の扉
3. 西洋の絵本のようなカフェスペース
4.「和栗のモンブラン」¥3,240
5. 洗練されたデザインの店内。焼き菓子も販売している
6.「パブロフセット」¥2,530
7.ショーケースに並んだスイーツを見るだけでも胸が躍る
8.「フレンチ&ケーキセット」¥2,860
9.「フリュイドール」¥2,322

上品な見た目に感動！

Urth Caffé 横浜ベイクォーター店

アースカフェよこはまベイクォーターてん

オーガニックコーヒーや紅茶をはじめ、ボリューミーな食事やデザートなどを提供するL.A.発のカフェ。もっちり食感のパンケーキに甘いホイップとミックスベリージャムなどをトッピングした「ミックスベリーパンケーキ」が人気メニュー。

横浜駅周辺 ▶ MAP 付録 P.15 C-2

☎045-548-3379 休無休 🕘9:00～21:00(フードは20:30) 📍横浜市神奈川区金港町1-10 3階 🚶JR横浜駅きた東口Aから徒歩3分 P730台

1. テラス席もある開放的な店内 2. 濃厚な味わいの「カフェラテ レギュラー」¥660 3.「ミックスベリーパンケーキ」¥1,390

パティスリー レ・ビアン・エメ

フォトジェニックなかわいい見た目と、繊細でフレッシュな味わいのケーキが評判のパティスリー。無添加の素材にこだわったフランスの伝統菓子「シャルロット」だけでなく、生菓子や焼き菓子なども高い人気を誇っている。

山手・元町 ▶ MAP 付録 P.10 A-4

☎045-305-6840 休火・水曜 🕘11:00～19:00 📍横浜市中区石川町2-78-15 🚶JR石川町駅南口からすぐ Pなし

1. イートインは8席併設 2.「シャルロット」¥680。フルーツは季節ごとに替わる 3.「コーヒーのシブースト」¥650

水信 フルーツパーラーラボ

みずのぶフルーツパーラーラボ

横浜で創業した老舗青果店がプロデュースするカフェ。季節のフルーツをぜいたくに使ったパフェやフルーツサンドは、口にすると素材の新鮮さとおいしさに驚くはず。市場にあまり出まわらない希少な品種のフルーツも味わえる。

みなとみらい ▶ MAP 付録 P.7 C-4

☎045-228-9297 休コレットマーレに準じる 🕘11:00～20:00 📍横浜市中区桜木町1-1-7 Colette-Mare 2階 🚶JR・地下鉄桜木町駅から徒歩3分 P550台

※写真は一例

1. 2023年2月にリニューアル
2. 人気の「ミックスパフェ」¥1,750
3.「フルーツサンドウィッチ」¥1,200

「Urth Caffé 横浜ベイクォーター店」ではサンドウィッチやトスターダサラダなどの食事も楽しめる!

Luxurious time

ラグジュアリーな空間で味わう絶品料理

ホテルブッフェで贅沢TIME

できたてをすぐに味わえる！

多彩な料理を楽しみたいならホテルのブッフェがおすすめ。
ライブキッチンやオリジナルメニューなどスタイルは豊富。

スタイリッシュなリゾート空間で味わうできたて料理♪

イチオシmenu
カルボナーラ
茹でたパスタをパルミジャーノ・チーズの上で仕上げる、開業以来の人気メニュー。

チーズとからむ絶品パスタ

1. 迫力あるアクションコーナーでは、シェフが目の前で仕上げた料理を堪能　2. チーズの中で仕上げるカルボナーラ。シェフのパフォーマンスはもちろん、味も絶品。人気メニューのひとつ　3. 全面ガラス張りの空間がアーバンリゾートを演出

横浜ベイホテル東急

オールデイダイニング「カフェ トスカ」

リゾート感たっぷりのダイニングレストラン。西洋料理のメニューを中心に、シェフが目の前のアクションコーナーで調理したパスタやオムライスを味わえる。味はもちろん、五感で楽しめるホテルブッフェ。

みなとみらい ▶ MAP 付録 P.6 B-2

045-682-2255　休無休　※除外日あり　11:30～14:30(L.O.)、17:00～21:00(閉店)、土曜、祝前日は11:30～15:30(L.O.)、1部17:00～、2部19:30～(2部制、22:00閉店)
¥サービス料込　横浜市西区みなとみらい2-3-7 横浜ベイホテル東急2階　みなとみらい線みなとみらい駅直結
P 1700台(車高制限あり、街区共用)

BUFFET MENU

ランチ	ディナー
キッチンスタジアム	ナイト・キッチンスタジアム
予 予約 OK	予 予約 OK
¥ 料金 ¥4,900～ 土・日曜、祝日は¥5,700～	¥ 料金 ¥7,300～ 土・日曜、祝日は¥7,900～

座席200席　土・日曜、祝日、およびホテル特定日、混雑時は2部制、料金はフェアにより変動

デザート&フルーツは常時10種以上♪

横浜ベイシェラトン ホテル&タワーズ
オールデイブッフェ「コンパス」

シェフが厳選した食材を使用した和・洋・中のオリジナリティあふれるメニューを取りそろえる。席から好きなだけオーダーできるオーダーブッフェ式で楽しもう。

イチオシ menu
シグネチャーメニューのローストビーフ
じっくりと焼き上げたジューシーなローストビーフを提供。特製のソースで味わおう

横浜駅周辺 ▶ MAP 付録 P.14 B-3

045-411-1188（横浜ベイシェラトン ホテル&タワーズ レストラン予約） 休 無休 7:00～21:30（閉店） ¥ サービス料15% 横浜市西区北幸1-3-23 横浜ベイシェラトン ホテル&タワーズ2階 JR横浜駅西口からすぐ P 220台

1. ジャンルの垣根を超え、さまざまな料理を提供している
2. 席に座ったままスマホからスムーズにオーダーできる

BUFFET MENU

ランチブッフェ
予約 OK
料金 ¥5,500、土・日曜、祝日¥8,500

ディナーブッフェ
予約 OK
料金 ¥8,500

座席186席 ※全席120分制（L.O.90分）。ホテル特定日や時期により料金、時間帯が変更の場合あり

1. ベイブリッジなど横浜港を一望
2. オープンキッチンではできたての料理が五感で楽しめる

BUFFET MENU

ランチブッフェ
予約 OK
料金 ¥5,800、土・日曜、祝日は¥6,300

ディナーブッフェ
予約 OK
料金 ¥7,800、土・日曜、祝日は¥8,300

座席198席 ※ランチは90分制。ディナーは120分制

ヨコハマ グランド インターコンチネンタル ホテル
ブッフェ・ダイニング オーシャンテラス

イチオシ menu
グリル料理
定番のローストビーフをはじめ、フェアごとに変わる本格的な肉料理は必見！

ジャンルにとらわれない日本各地や世界のグルメが味わえる。常時約50種類のメニューがあり前菜からメイン、デザートまでコース仕立てで楽しめる。

みなとみらい ▶ MAP 付録 P.7 C-1

045-223-2267 休 無休 7:00～10:00（L.O.）、11:30～15:00（L.O.）、17:00～20:00（L.O.） ¥ サービス料込 横浜市西区みなとみらい1-1-1 ヨコハマ グランド インターコンチネンタル ホテル1階 みなとみらい線みなとみらい駅6番出口から徒歩5分 P 1154台

PICK UP

スイーツだけをもっと楽しみたいなら！

ホテルのスイーツを食べに行こう！

最高のロケーションで味わうスイーツで、優雅なティータイムを過ごそう。

横浜ベイホテル東急
ラウンジ「ソマーハウス」

人気の「アフタヌーンティー」をはじめ、季節ごとにメニューが変わるパティシエおすすめのケーキを提供。みなとみらいの景色とともに楽しめる。

みなとみらい ▶ MAP 付録 P.6 B-2

045-682-2255 休 無休 ※アフタヌーンティーは3日前までに要予約 11:30～16:00（L.O.）、土・日曜、祝日は～18:00（L.O.） ¥ サービス料込 横浜市西区みなとみらい2-3-7 横浜ベイホテル東急2階 みなとみらい線みなとみらい駅直結 P 1700台（車高制限あり、街区共有）

ブッフェは「朝食ブッフェ」もおすすめ。宿泊者以外も利用できるので、朝から贅沢気分を味わえる。

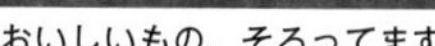

海外へミニトリップ？

海外発☆いち押しグルメ

国際色豊かな横浜には、海外から日本に上陸した店もたくさん。
内装にもこだわった店の雰囲気は、まるで外国に行ったみたい!?

▶▶ What's?
1990年にN. Y.でパイ専門店として開店。世界のセレブも愛好する名店

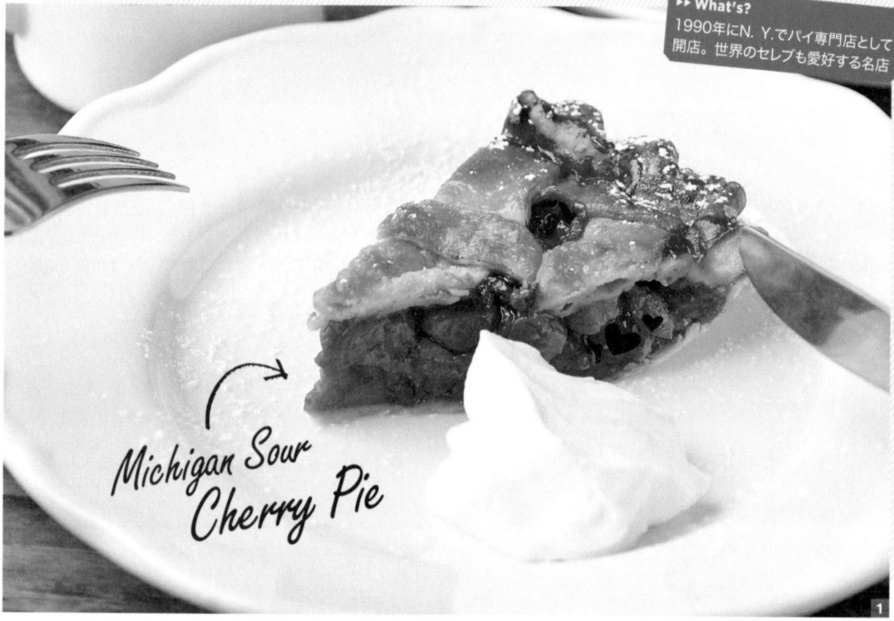

Michigan Sour Cherry Pie

1.「チェリーパイ(レギュラー)」¥790　2.3. 店内の絵画は、オーナー自身が描いたものや本土のギャラリーからセレクトしたもの　4. バビーの愛情あふれる自慢のパイ

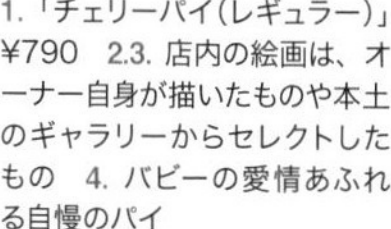

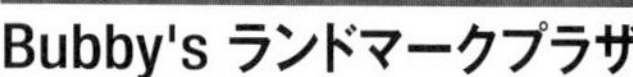

Bubby's ランドマークプラザ

バビーズランドマークプラザ

店名のバビーズとは"おばあちゃん"という意味。アメリカ各地の家庭料理を原点とした、手作りのパイが味わえる。素材にもこだわり、独自に開拓したルートから生産者の顔が見える確かなものだけを仕入れている。

みなとみらい ▶ MAP 付録 P.6 B-3

☎045-681-0306　休 無休　L 10:00～21:00(閉店は22:00)　横浜市西区みなとみらい2-2-1 ランドマークプラザ1階　みなとみらい線みなとみらい駅クイーンズスクエア連絡口から徒歩3分　P 1400台

本場の手作りチェリーパイ！

From Hanoi

CAFÉ GIANG 横浜中華街店

カフェジャン
よこはまちゅうかがいてん

ハノイの本店を訪れた現2号店オーナーが、エッグ・コーヒーの味に一目ぼれ。70年以上のれん分けを断り続けていたが、熱意に押されて初の2号店が横浜に誕生。本店と同じ味を提供するため、豆はオーナーみずからが挽いている。

横浜中華街 ▶ MAP 付録 P.13 C-2

045-323-9088 休月曜 10:00〜18:30(閉店は19:00)、金・土曜、祝前日は〜19:00(閉店は19:30) 横浜市中区山下町78-3 みなとみらい線元町・中華街駅２番出口からすぐ P なし

▶▶ What's?
エッグ・コーヒー発祥の名店「CAFÉ GIANG」の2号店がなんと横浜に誕生！

ティラミスのような味わいの「エッグ・コーヒー」¥550と、オリジナルメニュー「バインミー」¥750

From Hawaii

▶▶ What's?
1996年にハワイで誕生。現地のガイドもすすめる行列ができる大人気カフェ

▶▶ What's?
ハワイで23年連続ベストバーガー賞を受賞中のハンバーガーショップ

▶▶ What's?
1952年創業の老舗ベーカリー。観光客にもロコ(地元民)にも親しまれる人気店

Ⓐ大人気の「マラサダシュガー」¥190と「マラサダカスタード」¥250。テイクアウトのボックスもかわいい
Ⓑ定番の「プレミアムオリジナルバーガー」¥1,188。付け合わせのポテトもサクサク
Ⓒ手前から「スパイシーアヒ(ポキ)ボウル」¥1,800、「アサイーボウル(Regular)」¥1,850、「コナ100%エクストラファンシー」¥950

Ⓒ アイランドヴィンテージコーヒー 横浜ベイクォーター店

アイランドヴィンテージコーヒー
よこはまベイクォーターてん

名物のアサイーボウルや100%ハワイ産のコーヒーなどを味わえる。テラス席は20席あり、ペット同伴でもOK。運河を眺めながら食事を楽しめる。

横浜駅周辺 ▶ MAP 付録 P.15 C-2

045-453-1121 休 不定休(横浜ベイクォーターに準じる) 9:00〜20:00 横浜市神奈川区金港町1-10 横浜ベイクォーター3階 JR横浜駅きた東口Aから徒歩3分 P 730台

Ⓑ Teddy's Bigger Burgers 横浜ワールドポーターズ店

テディーズビガーバーガー
よこはまワールドポーターズてん

US100％ビーフのパティは、表面だけを特注グリルでカリッと焼き上げジューシー。秘伝のソースとふわふわのバンズが特徴の、ハワイのソウルフード！

みなとみらい ▶ MAP 付録 P.7 C-2

045-232-4226 休 不定休 10:30〜20:30(閉店は21:00) 横浜市中区新港2-2-1 横浜ワールドポーターズ１階 みなとみらい線みなとみらい駅クイーンズスクエア連絡口から徒歩5分 P 1000台

Ⓐ レナーズ 横浜ワールドポーターズ店

レナーズよこはまワールドポーターズてん

揚げパン「マラサダ」のパイオニア。アツアツのときは口の中で溶けるような不思議な食感、冷めてくるとしっとり食感に。どちらの食感も試してみよう。

みなとみらい ▶ MAP 付録 P.7 C-2

045-222-2172 休 不定休 10:30〜21:00 横浜市中区新港2-2-1 横浜ワールドポーターズ１階 みなとみらい線みなとみらい駅クイーンズスクエア連絡口から徒歩5分 P 1000台

ほかにもある！
海外発グルメ

From Sydney
bills 横浜赤レンガ倉庫
(»P.35)

From N.Y.
Shake Shack みなとみらい店
(»P.71)

横浜には海外発のカフェやレストランが多い。話題のトレンドグルメをチェック！

Romantic Time

優雅な景色と料理を楽しむ

夜景レストランでときめきディナー

宝石をちりばめたような夜景を見ながら、上質なディナーを。
昼の表情とは一変する夜の横浜を心ゆくまで堪能しよう。

menu
サブゼロディナーコース
¥18,700
肉と魚がメインのぜいたくな10品コース。記念日など大切な日におすすめ

※写真は一例

旬の食材たっぷり

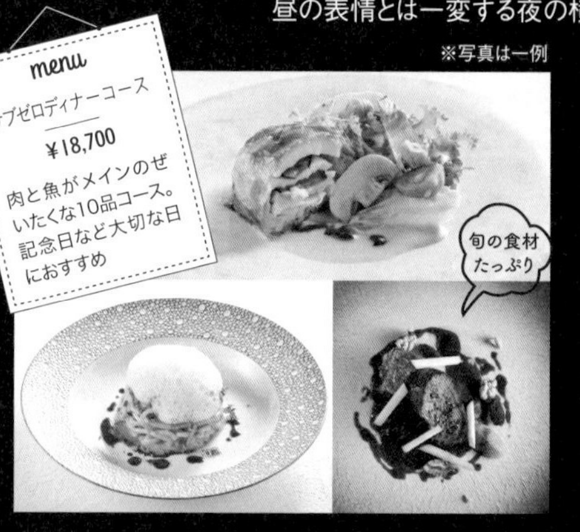

インターナショナル キュイジーヌ サブゼロ

横浜港大さん橋 国際客船ターミナルの2階にあるレストラン。落ち着いた色調の洗練された空間が広がり、みなとみらいの景色を一望できる。海に浮かぶレストランで過ごすひとときは、海外リゾートホテルに来たような特別な気分に浸れる。

山下公園 ▶ MAP 付録 P.8 B-1

045-662-1099　休 不定休　営 ランチ／11:30～13:30(閉店は15:00)、ディナー／17:30～19:30(閉店は22:00)　横浜市中区海岸通1-1 横浜港大さん橋 国際客船ターミナル2階
みなとみらい線日本大通り駅3番出口から徒歩7分　P 400台

みなとみらいの夜景と
イタリアン＆フレンチの
コンフュージョン料理で
贅沢な時間を

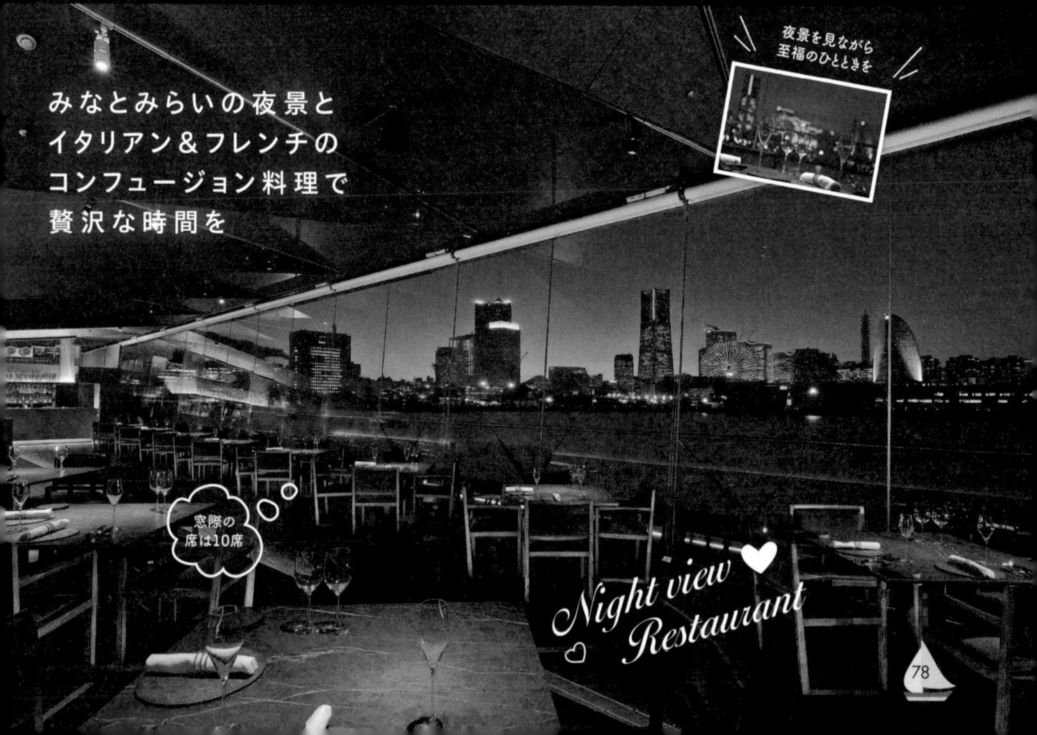
夜景を見ながら至福のひとときを
窓際の席は10席
Night view Restaurant

menu
アニバーサリーコース
¥5,980
プラッター前菜盛り合わせなどを含む全8品のコース。誕生日や記念日に利用したい

世界の食材を和食にアレンジ

橙家
だいだいや

素材本来のうま味を引き出した創作和食メニューが味わえる店。どの席からでもみなとみらいの夜景を見渡すことができ、デートや記念日にも最適。

みなとみらい ▶ MAP 付録 P.6 B-3

☎045-228-5035 休不定休 🕐11:00～14:30(閉店は15:00)、17:00～21:30(閉店は22:30) 📍横浜市西区みなとみらい2-3-8 みなとみらい東急スクエア③ 4階 🚶みなとみらい線みなとみらい駅直結 P1700台

創作和食と夜景のすてきな時間

窓際はカップルシートになっている。2人だけの特別な時間にもピッタリ

開放的なテラス席は見晴らしも抜群

※テラス席での営業は4月以降開始予定

記念日にぴったりの演出

menu
スタンダードコース
¥6,600（食事のみ）
ローストビーフやヤリイカのサラダ仕立てなど、デザートプレート付き全6品のコース

24/7 restaurant
トゥエンティーフォーセブンレストラン

テラス席や店内の大きな窓からも望める、色とりどりのみなとみらいの夜景は美しく、思わず時間の経過を忘れてしまいそう。さまざまなシーンで使いやすい。

白を基調とした空間。店内奥のマットレス席も人気

みなとみらい ▶ MAP 付録 P.6 B-3

☎045-222-6522 休不定休(みなとみらい東急スクエアの休業日に準じる) 🕐11:00～22:00(閉館は～23:00) 📍横浜市西区みなとみらい2-3-8 みなとみらい東急スクエア③ 3階 🚶みなとみらい線みなとみらい駅直結 P1700台

1-1&The Rooftop
イチノイチアンドザルーフトップ

横浜ベイブリッジやみなとみらいを望むレトロビルにあるビストロ。チャイニーズビストロとナチュラルワインを主とする料理はどれも絶品。屋上からは横浜三塔を見渡すことができロケーションも抜群。

山下公園・馬車道 ▶ MAP 付録 P.8 B-2

☎045-323-9177 休無休 🕐17:00～22:00、土・日曜、祝日は11:30～14:00、17:00～22:00(閉店は各1時間後) 📍横浜市中区海岸通1-1-1 海岸通壱番館3階 🚶みなとみらい線日本大通り駅2番出口から徒歩4分 Pなし
※写真は一例

menu
シェフお任せライトコース
¥4,500～
アルコールとのペアリングが楽しめる、月～木曜限定のライトコース
※別途アルコール注文必須

日が沈む頃に来店し、だんだんと変化する夜景を眺めるのも感動的。

昼間の眺めもバッチリ♪

1.落ち着いた雰囲気の店内。大きな窓からは横浜港が一望できる 2.昼間の景色はみなどみらいらしい爽やかな雰囲気 3.行き交う客船を眺めながらの食事はロマンチック。波の音に耳を傾けながらぜいたくなひとときを過ごそう

みなとみらいの夜景を最高のロケーションで楽しめるルーフトップダイナー

Nice View

What's 野毛

JR桜木町駅からすぐの横浜随一のディープな飲み屋街

Deep Town

横浜のディープな飲み屋街

野毛でほろ酔いはしご酒

老舗の居酒屋やバーが軒を連ねるディープなスポット。おいしいお酒とつまみを求めて行ってみよう！

CHARCOAL STAND NOGE

チャコールスタンドノゲ

小道にそっとたたずむ、倉庫をリノベーションしたバル。外観からは想像できないほど、店内はおしゃれな雰囲気。20～30代を中心に人気を集めており、グループでもひとりでもカジュアルに利用できる。

野毛 ▶ MAP 付録 P.14 A-1

045-251-9010　無休　16:30～22:00、土曜は14:00～22:15、日曜は13:00～21:30(閉店は各30分後)　横浜市中区野毛町2-79　地下鉄桜木町駅南2出口から徒歩7分　なし

1. 1階はスタンディングで2階はテーブル席。天井が高くレトロな雰囲気　2. リノベーション前の看板がそのまま残る　3. あの頃の夏を思い出す。爽やかなサイダーサワー　4. 店を代表するメニュー。山のように盛られたインパクト大な一品　5. 雰囲気のあるおしゃれな内装

1. 入口のドアから驚きの発見もあるので確かめてみよう　2. ベルギービールで煮込んだタンシチュー　3. さくらんぼを発酵させたベルギービール　4. エアリアルパフォーマーの小夜さんの巧みな演技は必見

Cabaret Cafe うっふ

キャバレーカフェうっふ

フランスで大道芸の講師をしていた店主が開業したサーカスバー。空中芸やジャズなど、多彩な演目が日替わりで行なわれており、間近で見ることができる。巨大なステンドグラスなど、店内の珍品にも注目してみたい。

野毛 ▶ MAP 付録 P.14 A-1

045-315-5517　月・火曜

18:00～23:00(閉店)、ショーは19:00～(1日3回、HPで要確認)

ショーチャージ料金はイベント内容により異なる　横浜市中区宮川町2-23-4

地下鉄桜木町駅南2出口から徒歩7分

なし

una Casa de G.B. G.B. El Nubichinom

ウナ カサ デ グビグビ エル ヌビチノ

国産クラフトビールの専門店。ビールのラインナップは日替わりなので、行くたびに新しい出会いがある。すべて3段階のサイズがあり、小さなサイズをオーダーして飲み比べるのも楽しい。

野毛 ▶ MAP 付録 P.14 A-1

☎045-231-3626
休火～木曜、事前予告日
営17:00～21:30(金曜は～23:30、土曜は15:00～23:30、日曜は15:00～19:30、祝日は15:00～)
横浜市中区宮川町1-1 都橋商店街117号室
地下鉄桜木町駅南2出口から徒歩7分
Pなし

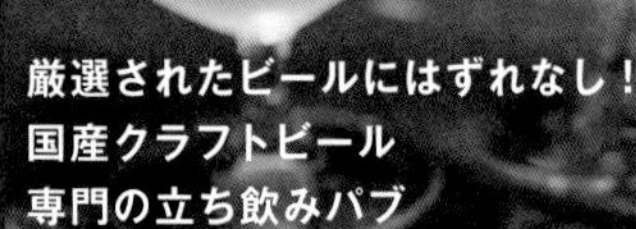

厳選されたビールにはずれなし！
国産クラフトビール
専門の立ち飲みパブ

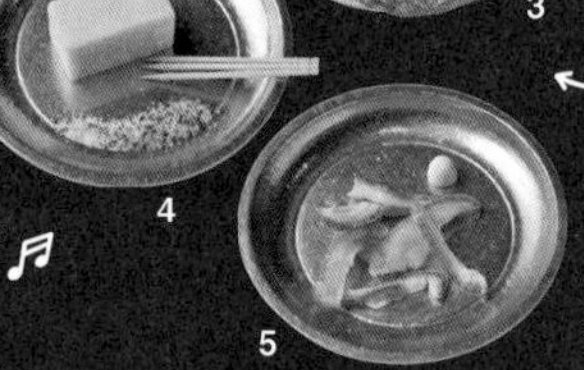

1.2. 日替わりのビールは「レギュラーサイズ(400㎖)」が¥1,400、「ミディアムサイズ(300㎖)」が¥1,000、「テイスターサイズ(200㎖)」が¥700となっている ※一部異なる 3.4.5. 盛り付けは飾らず、そのまま出てくる“不躾な”おつまみたち。味は◎ 6. 立ち飲みスタイルなので、1杯だけでも気軽に国産クラフトビールを楽しめる

1. お酒と相性抜群の串焼きは定番の部位だけでなく一風変わったオリジナル串も
2. 「とぽす」の大きな暖簾が目印
3. りんごや白桃など5つの種類を取りそろえる「シャリ金サワー」。かわいいグラスもぜひ写真に納めよう

串焼き ¥220～

多彩なメニューがそろう
ぴおシティ地下の人気店

大衆酒場2.0 とぽす

たいしゅうさかばにてんぜろとぽす

ひとりでも入りやすく、グループ利用も可能な大衆酒場。大人の駄菓子こと各種串焼きや、ボリューム満点のもつ肉豆腐などが自慢。可愛いグラスやマドラーで提供されるドリンクも人気のひとつ。

野毛 ▶ MAP 付録 P.14 A-1

☎045-228-9355
休ぴおシティに準じる 営14:00～22:00、土曜、祝日は13:00～21:30、日曜は12:00～20:30(L.O.は各30分前) 横浜市中区桜木町1 ぴおシティB2 JR桜木町駅直結
Pぴおシティ駐車場を利用

野毛ではお酒1杯肴1品という飲み方でもOK。初めての人や女性だけでも安心して飲める酒場も急増中。

横浜にはおいしいコーヒーが飲める店がたくさん！

こだわりのコーヒーショップ、見つけた！

さんぽ途中にほっとひと息。至福のコーヒータイムを……

横浜で人気のある、こだわりのコーヒーショップをセレクト！豆から厳選された極上の一杯を堪能しよう。

1.「ルミエールブレンド」¥650　2. 赤絨毯が敷かれ、昭和の懐かしさと豪華さを感じさせる店内　3. 赤地に「大学院」の文字がひときわ目をひく店構え　4. バリスタが目の前でラテアートを完成させる「カフェラテ」¥920　5. テラス席も人気　6. おしゃれな雰囲気の店内　7.「アメリカーノ」¥850　8. ハーフ&ハーフケーキセット」¥1,710　9. 利用者それぞれが落ち着ける空間をめざした店内　10.コニャックが香る上品な味わいの「ブラン・エ・ノワール(コーヒーカクテル)」¥1,050

CAFÉ Elliott Avenue

カフェエリオットアベニュー

世界的に評価の高いシアトルの「エスプレッソ・ビバーチェ」の豆の取り扱いを日本で唯一許可された店。本場シアトルの最高級エスプレッソを堪能しよう。

山下公園・馬車道 ▶ MAP 付録 P.9 D-1

☎045-664-5757　休 月曜（祝日の場合は営業、振り替え休あり）
🕒11:00～18:00　📍横浜市中区山下町18 横浜人形の家1階　🚶みなとみらい線元町・中華街駅4番出口から徒歩3分　P なし

オーセンティック カフェラミル 横浜ジョイナス クラシック店

オーセンティックカフェラミルよこはまジョイナスクラシックてん

くつろぎの空間でコーヒーと本格生ケーキを楽しめるカフェ。器やカップなど細部にまでこだわりが光り、上質なひとときを演出する。

横浜駅周辺 ▶ MAP 付録 P.14 B-3

☎045-311-7513　休 無休
🕒9:00～22:00（L.O.21:30）
📍横浜市西区南幸1-5 相鉄ジョイナス地下1階　🚶JR横浜駅西口からすぐ
P 552台（350円／30分）

コーヒーの大学院 ルミエール・ド・パリ

コーヒーのだいがくいんルミエールドパリ

昭和49(1974)年創業の喫茶店。"香り高いコーヒーを吟味して出す"をモットーに注がれた一杯は、格別の味わい。

山下公園・馬車道 ▶ MAP 付録 P.8 B-3

☎045-641-7750　休 日曜
🕒10:00～18:00（L.O.17:00）、土、祝日は10:30～
📍横浜市中区相生町1-18　🚶JR関内駅南口から徒歩5分　P なし

ほしいものあります

Shopping

横浜らしさがあふれる個性的なグッズから、
プレゼントにぴったりな
絶品スイーツの手みやげまで、
あなたのほしいがきっと見つかる！

kirakira Jewelry chocolate

STAR JEWELRY Chocolatier

STAR JEWELRY CAFE & Chocolatier
スタージュエリーカフェアンドショコラティエ

»P.91

Visit Motomachi

お気に入りの一点を探しに行こう！

元町ショッピングストリート

ハイセンスな街・元町には個性あふれる雑貨やアクセサリーが勢ぞろい。トレンドを生み出す街で、"欲しい"がきっと見つかる！

インテリアにもお部屋のおすすめ♪

4 ドイツ木工芸品 煙出し 小人とマッシュルーム
¥15,070

5 ドイツ木工芸品 仲良しな動物達　7種類
¥14,300

6 ドイツミニチュア・洋裁店
¥36,300

Hisense

1

2

3

1. ヨーロッパ各地の陶器置物や壁飾り、木工芸品など心が踊るかわいい雑貨が集まる　2. 職人の手作りだからこそ生まれる温かみを感じるドイツ木工の人形たち　3. ドイツのディーセンという湖畔の町で作られる錫飾りは200年以上の歴史がある　4. ドイツ木工のふるさとであるエルツ山地のザイフェン村で作られた作品　5. 温かい木の肌触りと素朴なデザインがかわいい動物の人形　6. ドイツの熟練した技術を持つ職人によって細部まで作り込まれたミニチュア

ドイツ中心のレトロ雑貨を扱う輸入専門店

Ⓐ 横浜元町 竹中 よこはまもとまちたけなか

大正13（1924）年創業の老舗。主にドイツから直輸入した商品を扱う。家具やインテリアのほか、店主が厳選したキュートな雑貨もそろう。クリスマス時期にはドイツより買い付けたクリスマスマーケット商品も取り扱っている。

山手・元町 ▶ MAP 付録 P.10 B-4
045-641-0858　休 月・火曜（祝日の場合は翌日休の可能性あり）　12:00～17:00
横浜市中区元町4-180　JR石川町駅元町口から徒歩5分　P なし

Ⓐ ◀ YOKOHAMA MOTOMACHI Takenaka
Motomachi Shopping Street 元町ショッピングストリート
Motomachi-Chukagai Station 元町・中華街駅
Der Kleine Laden Tokyo ▼ Ⓑ
Ⓓ ◀ Ginza Itoya YOKOHAMA MOTOMACHI
Ruhm* ▶ Ⓒ
Motomachi Map

店内を埋め尽くすのは心ときめくラッピング用品

Ⓑデア クライネ ラーデン東京

デアクライネラーデンとうきょう

国内最大級の品ぞろえを誇る、ラッピング用品中心の雑貨店。欧米で仕入れた4000種類以上のペーパータオルのほか、かわいらしい雑貨も豊富。店舗2階ではデコパージュ教室なども開催する。

山手・元町▶
MAP付録 P.10 B-4
045-671-1254
休月曜(祝日の場合は営業)
10:30～18:00　横浜市中区元町5-209 野村ビル1階
JR石川町駅元町口から徒歩5分　Pなし

3 ペーパータオル
4枚¥303
8枚¥484

1. 花の妖精「Flower Fairies」シリーズの商品もマスキングテープやクリアファイルなど、豊富に取りそろえる　2. 店内にはペーパータオルが所狭しと並べられている　3. 色や柄も豊富なペーパータオルはデコパージュの素材にもぴったり

1. 明るい店内にはたくさんのアクセサリーが　2.「モスアクアマリンローズカットピアス」¥19,800　3. 気品と落ち着きを纏うパールアイテム

3 淡水パール
ハーキマーダイヤモンドローズゴールドリング¥14,300
ローズゴールドリング¥15,400
ピアス　¥15,400

きらきら輝く
個性派ジュエリー

ⒸRuhm*

ルーム

オリジナル商品と約10名の作家によるハンドメイド品を取り扱うジュエリーショップ。天然石やアクリルなどの素材を使ったアクセサリーを1万～4万円前後で販売しており、定期的に商品が入れ替わる。

山手・元町▶MAP付録 P.10 B-4
045-663-0578　休月・火曜　11:00～18:00(土・日曜、祝日は19:00)　横浜市中区元町4-161　みなとみらい線元町・中華街駅5番出口から徒歩5分　Pなし

銀座の文房具専門店が横浜に登場！

Ⓓ銀座 伊東屋 横浜元町

ぎんざいとうやよこはまもとまち

銀座 伊東屋 本店のコンセプトを踏襲し、"過ごす場所"をテーマにした店舗。パーツを自分で選んで作る万年筆や、表紙や中紙まで選べるオリジナルノートなど、伊東屋セレクトの文房具がたくさん！

山手・元町▶MAP付録 P.11 C-4
045-228-7855　休月曜(祝日の場合は営業)
11:00～19:00　横浜市中区元町3-123　みなとみらい線元町・中華街駅5番出口から徒歩5分　Pなし

1 おいしい魚ノート
各¥330

カラフルなアイテムがたくさん！

3 オリジナルロゴトート
¥4,400

1. ユーモアあふれるデザインノート。「鯛」と「鯖」のほかにタコやヒラメなどの柄もある(全8種)　2. カラフルな文房具が並ぶ1階店内　3. 紙製のショップバッグをイメージした帆布のロゴトートバッグ

2月と9月には恒例の「チャーミングセール」が開催され、期間中は40～50万人が訪れる。

地元の人から愛されるベーカリー！

おいしいパン、そろってます♪

ベーカリーの激戦区としても知られる元町をはじめ、おいしいパン屋が多い横浜。いろいろな店の自慢のパンを食べ比べしてみよう！

ニューヨークスタイルの個性派ベーカリー

BLUFF BAKERY

ブラフベーカリー

●ひとこと● スタイリッシュなギャラリーのようなベーカリー

1. 店のテーマカラーであるイヴ・クラインブルーの鮮やかな入口　2. まるで芸術品のようにパンがディスプレイされる

都内の有名ブーランジェリーでシェフを務めていたオーナーが焼く独創的なパンが特徴。遠方からわざわざ買いに来るファンも多い。素材にこだわるニューヨークスタイルのパンは常時70種類がそろう。

山手・元町 ▶ MAP 付録 P.10 B-2

045-651-4490　休 無休
8:00〜17:00　横浜市中区元町2-80-9 モトマチヒルクレスト1階
みなとみらい線元町・中華街駅5番出口から徒歩8分　P なし

人気No.1!

キャロットケーキ ¥2.8（1グラム）

にんじんやナッツが入った生地は酸味のあるクリームと好相性

オニオンフェンネルパルメザンベーグル ¥335

3種の麦をブレンドし24時間以上熟成させたニューヨークスタイルのベーグル

ハーシーズチョコレートクロワッサン ¥378

バターが香るクロワッサン生地にハーシーズのチョコがたっぷり

レモンドーナッツ ¥100

レモンピールとレモンオイルの香りがさわやかなミニドーナツ

カレードーナッツ ¥200

カレーを練り込んだ生地と、スパイスを利かせたカレーが美味

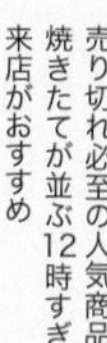

売り切れ必至の人気商品。焼きたてが並ぶ12時すぎの来店がおすすめ

イングランド ¥410

ティークリーム ¥240

紅茶の香りが口の中に広がる

紅茶を練り込んだ香り高い生地に、ミルククリームがマッチ！

横浜一歴史が長いベーカリー

ウチキパン

●ひとこと● 日本の食パンの発祥の店としても知られている

イギリス人が開いた「ヨコハマベーカリー」を継承し、日本の食パン文化の発祥となった老舗。懐かしく親しみのある雰囲気で品ぞろえも豊富。価格帯も財布にやさしく、毎日来たくなるベーカリー。

山手・元町 ▶ MAP 付録 P.11 D-4

045-641-1161　休 月曜(祝日の場合は翌日休)
9:00〜19:00　横浜市中区元町1-50　みなとみらい線元町・中華街駅5番出口からすぐ　P なし

小麦の味を生かしたパンが並ぶ

ペストリーショップ「ドーレ」

ひとこと
季節限定の商品もあるので、何度訪れても楽しめる

「横浜ベイシェラトン ホテル&タワーズ」のペストリーショップには、飽きのこない味わいと普段使いできる手頃な価格が魅力の、バラエティに富んだパンが並ぶ。開業以来幅広い年代に人気。

横浜駅周辺 ▶ MAP 付録 P.14 B-3

045-411-1188 休無休 10:00～19:00(日曜、祝日は～18:00) 横浜市西区北幸1-3-23 横浜ベイシェラトン ホテル&タワーズB1階 JR横浜駅西口からすぐ P220台

横市バター あんバターフランス ¥550

さっぱりとした味わいの「横市バター」を使用

1. 横浜駅西口の地下街の近く 2. 50種類ものパンを取りそろえる店内。ほかにもサンドイッチや焼菓子、ケーキなども並ぶ

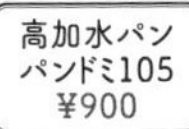

高加水パン パンドミ105 ¥900

しっとりでもちもちの食感と小麦本来の甘さが引き出された高加水食パン

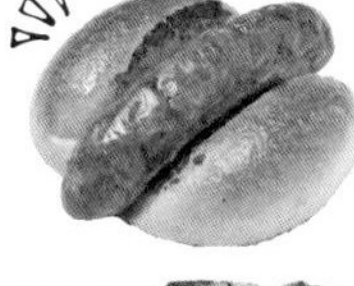

ジャーマンソーセージ ¥360

香ばしくしっとりとした生地に、大きなソーセージがイン

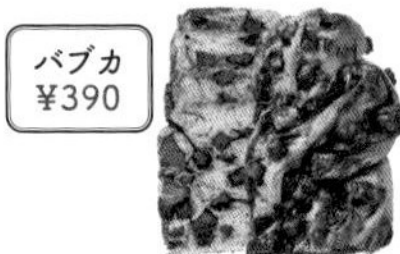

パブカ ¥390

生地からあふれ出すガーナ産のザクザクとしたチョコが美味。コーヒーとも好相性

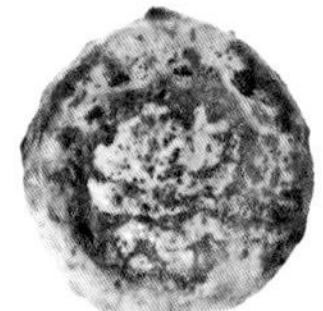

ピザ各種 ¥320～

パン屋が作る生地にこだわったピザ(写真はマルゲリータ)。ほかにも多数の種類をそろえている

1. 落ち着いた色味の外観はオフィス街のオアシス 2. 店内にはパンのいい香り。カフェスペースもある

酵母からこだわったヘルシーパン

R Baker みなとみらい店

アールベイカーみなとみらいてん

ひとこと
こだわり酵母を使ったパンが絶品のベーカリー

高層ビルに隣接するベーカリー。店内は木を基調とした落ち着いた雰囲気で、リラックスして過ごせる。こだわり酵母や国産米粉などを使った、安心&ヘルシーな多彩なパンが並ぶ。

みなとみらい ▶ MAP 付録 P.6 A-3

045-228-2066 休無休 8:00～18:30 横浜市西区みなとみらい4-4-1 横浜野村ビル1階 みなとみらい線新高島駅3番出口から徒歩3分 P172台

閑静な住宅街の大人気パン屋

ル・ミトロン

ひとこと
駅からやや離れるが遠方から訪れる客も多い

店名はフランス語で「パン屋の小僧」という意味。手間や工夫、あっと驚くようなアイデアを詰め込んだ遊び心たっぷりのパンは、毎日でも食べ飽きない。

白楽 ▶ MAP 付録 P.3 C-2

045-413-1430 休無休 8:00～19:00 横浜市神奈川区神大寺4-1-7 東急東横線白楽駅から徒歩14分 Pなし

1. 思わず立ち寄りたくなるおしゃれ看板 2. 職人がメンテナンスした本物のヴィンテージ家具に陳列されるパン

ミトロンシューキューブ ¥408

デニッシュ生地に自家製カスタードがたっぷり入ったスイーツパン

クリームチーズ明太 ¥432

明太ソースと食感のよいパンがマッチ。定番のひとつ

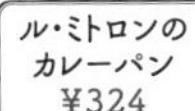

ル・ミトロンのカレーパン ¥324

角切り牛肉を煮込んで作る自家製カレーがたっぷり。店自慢の一品

どの店も早めに行くのがおすすめ。人気のパンは正午頃には売り切れてしまうことも。

こだわりのカカオを、心ゆくまで……

とろける幸せ♡チョコレート

おしゃれなチョコレートがた～くさん！ カラフルで

日本のチョコレート発祥にも深いかかわりのある横浜。
おしゃれで個性的なチョコレートを楽しもう。

カカオの芳醇な香り

COLORFUL

タブレット ¥648～

1

芳醇なカカオの香りが広がるチョコレート専門店

VANILLABEANS みなとみらい本店

バニラビーンズ みなとみらいほんてん

カカオ豆から作るチョコレート専門店。カカオの深い味わいを楽しめるタブレットや、分厚い濃厚なガナッシュを、サクサクのクッキーでサンドした「ショーコラ」が人気。カフェも併設されていて、オリジナルのショコラスイーツも味わえる。

山下公園・馬車道 ▶ MAP 付録 P.8 A-2
☎045-319-4861 休水曜
🕒11:00～18:00(閉店は19:00)
📍横浜市中区海岸通5-25-2 シャレール海岸通1階 🚶みなとみらい線馬車道駅4番出口から徒歩3分 Pなし

5

3

4

2

1.産地ごとに異なるカカオのフレーバーを楽しめるよう、それぞれの素材に合わせた製法で48時間かけて1つのチョコレートを作る 2.濃厚な味わいの生チョコレートサンド「ショーコラ」¥410 3.4.5.レンガ風の壁と木を基調としたナチュラルな雰囲気

カカオが上品に香る

1.ストロベリーなどのフルーツ系や、季節限定のフレーバーなど種類も多数。「リンドール」や焼き菓子とのセットも
2.なめらかな口どけで人気の「リンドール」¥1,200(100g)
3.日本限定のプラリネギフトコレクション

1 スイスで1845年に創業
世界120ヵ国以上で愛されている

リンツ ショコラ ブティック&カフェ

プレミアムチョコレートブランド「リンツ」のショップとカフェを併設。テラスでショコラドリンクを気軽に楽しめるほか、直営店限定のPICK&MIXでは、リンツ一番人気を誇る「リンドール」の好きな味を量り売りで購入できるのもうれしい。

横浜駅周辺 ▶ MAP 付録 P.15 C-2

☎045-440-0626 休無休 🕒10:00～21:00(横浜ベイクォーターの休業日に準じる) 📍横浜市神奈川区金港町1-10 横浜ベイクォーター3階 🚶JR横浜駅きた東口Aから徒歩3分 P730台

20種類以上のリンドールが陳列された店内

生チョコレート発祥の店!

シルスマリア シァル桜木町店

シルスマリア シァルさくらぎちょうてん

生チョコレート発祥の店としても有名なシルスマリア。看板商品である生チョコレートはとろけるような濃厚な味わい。ほかにも生ケーキや焼き菓子などが販売される。JR桜木町駅に隣接しているので、気軽に立ち寄れるのもうれしい。

みなとみらい ▶ MAP 付録 P.7 C-4

☎045-264-4974 休無休(シァル桜木町に準じる) 🕒10:00～21:00 📍横浜市中区桜木町1-1-1 シァル桜木町 🚶JR桜木町駅直結 Pなし

さまざまな生チョコレート商品が並ぶ。季節限定商品もチェック!

1. 3種のチョコレートとクリームで作った生チョコレート「シルスミルク」をはじめ、香り高い「辻喜宇治抹茶」¥2,268なども人気 2.ウイスキーを使用した生チョコレート「竹鶴」¥2,646 3.シァル桜木町店では「生チョコソフトクリーム」¥500も販売される

日本初の国産チョコレートは明治初期、「凮月堂総本店」の番台をしていた米津松蔵が横浜で学んだ技術をもとに生み出したそう。

横浜の"おいしい"をおすそ分け♪

絶対喜ばれるスイーツ手みやげ

大切な人へのみやげや、おもたせにおすすめしたい商品はこれ！
老舗洋菓子店からニューオープンのショップまで勢ぞろい。

1. 八重桜の花びらが入った「桜ゼリー」6個入り¥2,970　2. 天然素材を使ったゼリー「ヴィーナスの誕生」120粒入り¥2,376　3. 高級ブランデーにたっぷり浸したレーズンと上品なクリームがマッチした「レーズンサンド」8個入り¥1,425

昭和の香り漂うティールーム
自慢の桜ゼリー！

横浜かをり よこはまかをり

ホテル、洋食、洋菓子などの発祥の地といわれる「山下町70番地」に店を構える元祖ティールーム。一品一品手作りされた洋菓子は、どれも伝統を感じさせる。看板商品の「桜ゼリー」は屋号の由来となった桜をモチーフに作られており、みやげとして人気。

山下公園・馬車道 ▶ MAP 付録 P.9 C-2
☎045-681-4401　休 無休　🕒10:00～18:00（土曜は11:00～、日曜、祝日は11:00～）
📍横浜市中区山下町70　🚶みなとみらい線日本大通り駅3番出口からすぐ　P 4台
※2024年1月現在休業中、開店時期未定。詳細は事前に要確認

山手の洋館カフェで
美しい洋菓子を

えの木てい
えのきてい

山手で人気の洋館カフェではロマンティックなバラの洋菓子を購入できる。横浜市の花であるバラをモチーフにしたサブレやマドレーヌのほか、ケーキもおすすめ。

山手・元町 ▶ MAP 付録 P.10 B-2
☎045-623-2288　休 無休　🕒12:00～17:00（閉店は17:30）、土・日曜、祝日は11:30～17:30（閉店は18:00）　📍横浜市中区山手町89-6
🚶みなとみらい線元町・中華街駅6番出口から徒歩8分　P 3台

1. フランボワーズのムースとライチとバラの味わいが絶妙な「ロザライチ」¥748　2. バラの花びらを入れて焼き上げた「横濱ローズサブレ」8枚入り¥1,102
3. 港に吹く爽やかな風をイメージしてつくられたチーズケーキ「横濱レモン」4個入り¥692

ていねいに作られた
本格焼き菓子

BAKE ROOM

ベイクルーム

アメリカの伝統的な「スモア」などの本格焼き菓子を楽しめる店。自由が丘の人気店「Jiyugaoka BAKE SHOP」の元パティシエ・錦織翠さんが手がける。季節の素材を取り入れた焼き菓子が10種類以上並ぶ。

山下公園・馬車道 ▶ MAP 付録 P.8 A-4

非設置　休 不定休、SNS参照
12:00～18:00(売り切れ次第閉店)
横浜市中区吉田町6-2 山下呉ビル1階
JR関内駅北口から徒歩5分　P なし

1. クリームチーズがたっぷりのった「キャロットケーキ」¥350　2.「スモア」¥380(左)、くるみとドライいちじくが入った「エンガディナー」¥330(右)　3. ケーキやクッキーがそろう

宝石のように見た目も
美しいショコラ

STAR JEWELRY CAFE & Chocolatier

スタージュエリーカフェアンドショコラティエ

ジュエリーブランド直営のカフェ&ショコラティエ。オリジナルショコラをはじめ、多彩なメニューを用意。白を基調としたスタイリッシュな店内や、ペットとカフェタイムを楽しめるテラス席も魅力的。

山手・元町 ▶ MAP 付録 P.11 C-4

045-212-5946　休 月曜(祝日の場合は翌日休)　11:00～18:00(L.O.17:00)　横浜市中区元町2-97　みなとみらい線元町・中華街駅5番出口からすぐ　P なし

1. オーガニック&フェアトレードの「ボンボンショコラ」4個入り¥1,404～　2.「キヌアと蒸し鶏のサラダ」¥1,210　3.「チョコレートとバニラのジェラート」ダブル¥858、シングル¥605

「えの木てい」では紅茶のシフォンケーキも見逃せない！ (P.21)

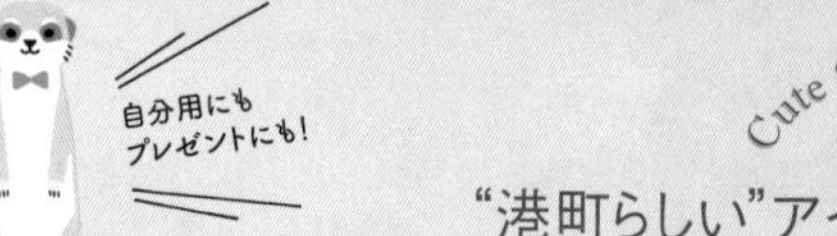

Cute Souvenir

"港町らしい"アイテムを狙いうち!

キュートなマリンGOODSをHUNT!

さわやかなマリンテイストのグッズはおみやげにぴったり!
港町の旅の思い出を連れて帰ろう♪

アンカーフロートキー ¥1,100 A

ブルーダル絵本 ¥1,320 C

シグナルフラッグ刺繍ラペルピン 各¥880 C

ティッシュケース ¥4,400 B

マーメイドTシャツ ¥7,150 A

シェルミラー ¥3,850 B

マーメイドグラス ¥770 B

ブルーダル人形 ¥2,750 C

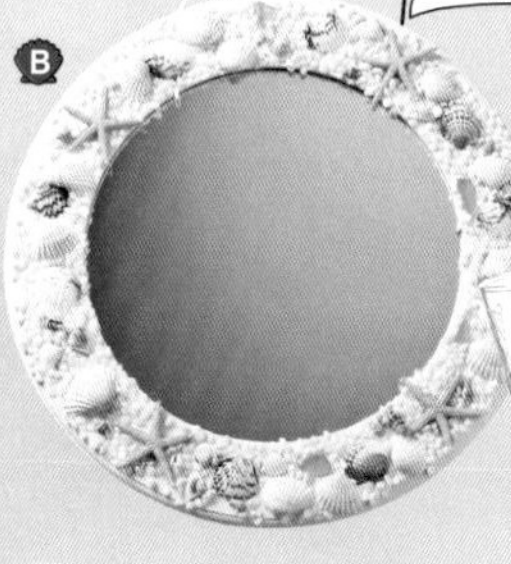

BLUE BLUE ヨコハマバンダナ ¥2,200 A

Cute! Lovely

C エクスポート

横浜開港時の外国人居留地一番地に建つ、ショップ&ギャラリー。人とモノ、モノとコト、人とコトをつなぐ、情報・デザイン・グッズの発信拠点として親しまれている。

山下公園・馬車道 ▶MAP 付録 P.9 C-2

045-650-8210
休 土・日曜、祝日
11:00～17:00
横浜市中区山下町1 シルクセンター
みなとみらい線日本大通り駅3番出口から徒歩3分
P なし

B アロハストリート

ハワイで人気のショップのTシャツやマリン雑貨を販売するハワイアン雑貨の店。ほかにもパンケーキミックスやハワイアンビール、コナコーヒーなど食料品もそろう。

みなとみらい ▶MAP 付録 P.7 C-2

045-228-7030
休 不定休 10:30～21:00
横浜市中区新港2-2-1 横浜ワールドポーターズ1階
みなとみらい線みなとみらい駅クイーンズスクエア連絡口から徒歩5分
P 1000台

A BLUE BLUE YOKOHAMA
ブルーブルーヨコハマ

デニムを中心に展開しているオリジナルブランド「BLUE BLUE」の旗艦店。店の裏手にある青い看板は、フォトスポットとしても人気が高い。

山下公園・馬車道 ▶MAP 付録 P.8 B-2

045-663-2191
休 無休
11:00～19:00
横浜市中区海岸通1-1
みなとみらい線日本大通り駅2番出口から徒歩5分 P なし

Shopping

マリンGOODS

Juliaマグネット横浜
¥800

F

横濱ふきん
各¥550

E

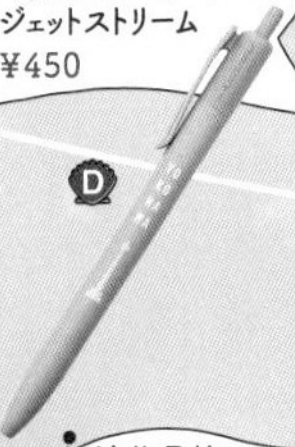

マリンタワーボールペン・ジェットストリーム
¥450

D

ペンスタンドリング横浜
¥3,600

F

横浜マグカップ
¥1,320

E

波佐見焼・横浜マリンタワー
¥2,200

D

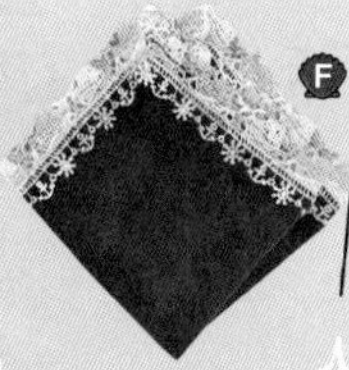

近沢レース店ハンカチ港
¥1,650

F

水夫ベア&船長ベア
¥5,500

F

マリンハンガー
¥715

E

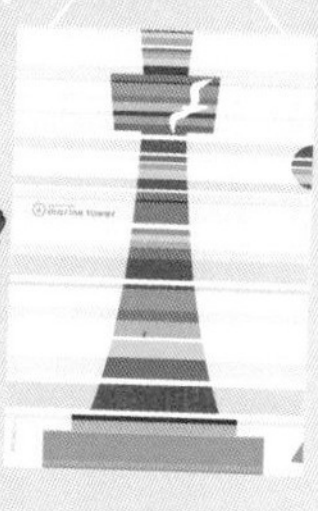

マリンタワーA5クリアファイル
¥308

D

F STARBOARD SHOP

スターボードショップ

山下公園の日本郵船氷川丸の側にあるスーベニアショップ。氷川丸グッズのほか、横浜の銘菓や文化関連商品などを販売。隣接しているカフェでは横浜の味も楽しめる。

山下公園・馬車道 ▶ MAP 付録 P.9 D-1

045-225-9855
休 無休
10:00〜18:00
横浜市中区山下町山下公園地先 みなとみらい線元町・中華街駅から徒歩5分
P なし

E GOODIES YOKOHAMA

グディーズヨコハマ

横浜を中心に、神奈川の銘菓や雑貨が充実する。定番の横浜みやげから限定グッズまで、厳選されたハイセンスな見ごたえたっぷりの商品が勢ぞろい!

みなとみらい ▶ MAP 付録 P.7 C-2

045-222-2175
休 不定休 10:30〜21:00 横浜市中区新港2-2-1 横浜ワールドポーターズ1階
みなとみらい線みなとみらい駅クイーンズスクエア連絡口から徒歩5分 P 1000台

※現在休業中。2024年4月下旬に2階へ移転予定

D マリンタワーショップ

横浜観光の定番スポット、横浜マリンタワー内にあるおみやげショップ。マリンタワーをモチーフにしたグッズをはじめ、各種横浜みやげも取りそろえている。

山下公園・馬車道 ▶ MAP 付録 P.9 D-1

045-662-6688
休 無休
10:00〜19:00
横浜市中区山下町15 横浜マリンタワー2階
みなとみらい線元町・中華街駅4番出口からすぐ P なし

横浜のご当地キャラ、「ブルーダル」は横浜のイメージカラーの青と馬車の先導犬として知られていたダルメシアンから生まれた。

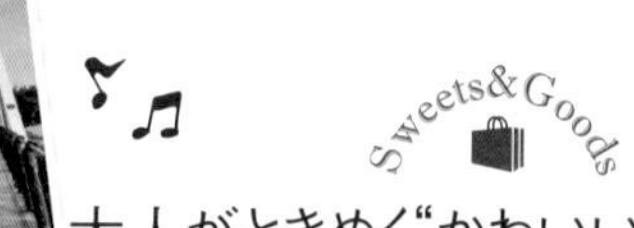

Sweets&Goods

大人がときめく"かわいい"がいっぱい

横浜みやげマストチェック

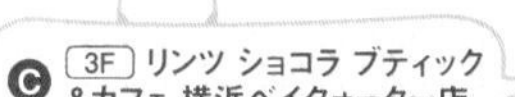

駅からすぐ近くのビルでそろっちゃう♪

横浜駅周辺やみなとみらいは複合施設が充実。
スイーツもグッズも、とっておきのおみやげを見つけよう。

C 3F リンツ ショコラ ブティック&カフェ 横浜ベイクォーター店

リンツ メートル・ショコラティエ セレクション 16個入り

¥5,500 日持ち 2か月以上

リンツのチョコレート職人が2年かけて開発した、プラリネギフトコレクション

045-440-0626

A B2F プリンショップ マーロウ そごう横浜店

北海道フレッシュクリームプリン

¥831 日持ち 3日間(冷蔵)

目盛り入りの耐熱ビーカーが目印。いちばん人気の北海道フレッシュクリームプリン

045-465-2111(大代表)

A B2F 馬車道十番館

ビスカウト

9枚入り ¥2,042

甘さ控えめで上品な味のクリームを、厚みのあるビスケットでサンドしたサクサク食感のお菓子

045-620-6620 (直通)

Sweets

見た目がかわいくておいしい、横浜みやげにぴったりな人気スイーツがいっぱい!

B B1F ホテル マドレーヌミシェル

トゥジュール

¥1,674(5個入り)

日持ち 製造日より45日

4種のマドレーヌとカギ型の「キーチョコレート」が入った缶。パッケージは10種類あり、パリやマルセイユといったフランスの各都市がモチーフとなっている

045-311-5111(代表)

E 1F SARIO 聘珍茶寮

プリンアソートセット

¥1,080(3個入り)

聘珍樓で人気のカッププリン3種類。常温保存可能で、冷やすとよりおいしくいただける

045-222-2180

※写真はイメージ

B 横浜タカシマヤ(よこはまタカシマヤ)

地下2階から8階まで、グルメや国内外の有名ブランドのファッションなどバラエティ豊か。最旬の商品もめじろ押し。美術画廊もある。

横浜駅周辺 ▶ MAP 付録 P.14 B-4

045-311-5111 休 不定休 10:00〜20:00(一部地下街エリアは〜21:00、8階レストランエリアは11:00〜22:30)
横浜市西区南幸1-6-31 JR横浜駅西口からすぐ P 約1780台

A そごう横浜店(そごうよこはまてん)

フード、ビューティー、ファッション、ラグジュアリー、ライフスタイル、専門店、レストランなど多彩な店舗が入る、日本有数の売場面積を誇る総合百貨店。

横浜駅周辺 ▶ MAP 付録 P.15 C-3

045-465-2111(大代表)
休 無休 10:00〜20:00(10階レストランエリアは11:00〜23:00)
横浜市西区高島2-18-1 JR横浜駅東口から徒歩3分 P 2500台

E 1F GOODIES YOKOHAMA

オリジナルマグネット 各¥275

横浜ことはじめメモ帳 各¥222

横浜発祥の文化を発祥年号別で仕上げたメモ帳(上)。ビール、牛乳、電話など全17種。マリン柄のオリジナルマグネット(下)は、バラマキ用のおみやげにも重宝しそう

045-222-2175

※現在休業中。2024年4月下旬に2階へ移転予定

A 7F 横浜ロフト

鳩居堂　HITOKOTO 薔薇 ¥495

横浜市の花であるバラをあしらった、ミニレターのセット

045-440-6210

Nice!

Goods

贈り物にも自分用にも、思わず手にとってしまうかわいいアイテムが盛りだくさん♪

B 7F ヨコハマ・グッズ 横濱001ショップ

ヨコハマママスキングテープ 各¥385

ヨコハマふせん 各¥418

横浜にちなんだイラストが描かれたマスキングテープ(上)とふせん(下)。さまざまな用途にも使えて、おみやげにも喜ばれそう。ふせんにはワンポントのミニふせんも付いている

045-311-5111(代表)

E 2F 倭物やカヤ

タルトート 各¥2,200

日本を代表するモチーフをポップにリデザイン。山型のシルエットもかわいい

045-225-8715

※2024年4月下旬オープン予定

Cute!

D 1F 中川政七商店 マークイズみなとみらい店

横浜ふきん ¥550

奈良の工芸である「かや織」で作られた、吸収・速乾性に優れるふきん。柄には「赤レンガ倉庫」や「肉まん」など横浜ならではのモチーフが散りばめられている

045-319-6488

Shopping

横浜みやげ

よこはまワールドポーターズ
E 横浜ワールドポーターズ

南国気分がたっぷり楽しめるハワイアンタウンをはじめ、話題のショップやグルメなど約160店が集まる人気の大型複合施設。

みなとみらい ▶MAP 付録 P.7 C-2

045-222-2000 休 無休

10:30〜21:00(レストランは11:00〜23:00、一部店舗は異なる)

横浜市中区新港2-2-1

みなとみらい線みなとみらい駅クイーンズスクエア連絡口から徒歩5分

P 1000台

マークイズみなとみらい
D MARK IS みなとみらい

地上6階、地下4階のショッピングセンター。人気のレストランやおしゃれな空間が広がる居心地の良いカフェなど、話題の店も多い。

みなとみらい ▶MAP 付録 P.6 B-3

045-224-0650 休 不定休

10:00〜20:00(金〜日曜、祝日、祝前日は〜21:00、飲食店は11:00〜23:00、一部店舗は異なる) 横浜市西区みなとみらい 3-5-1 みなとみらい線みなとみらい駅直結、JR桜木町駅北改札東口から動く歩道で徒歩8分 P 900台

よこはまベイクォーター
C 横浜ベイクォーター

潮風を感じながらグルメや買い物を楽しめるショッピングモール。屋上には「ベイガーデン」があり、休憩スポットとしても人気。

横浜駅周辺 ▶  付録 P.15 C-2

045-577-8123

休 無休

11:00〜20:00(飲食店は〜23:00、店舗により異なる)

横浜市神奈川区金港町1-10

JR横浜駅きた東口Aから徒歩3分

P 730台

「ディップティック そごう横浜店」は2018年8月にオープン。パリの老舗フレグランスメゾンで、県内では初出店となる。

週末に開催される、つながるマルシェ

楽しい発見がいっぱいのZOU-SUN-MARCHE

手作りのかわいいアイテムに胸キュン

アートスペースを兼ね備えたレストハウス「象の鼻テラス」で、週末に開催されるマルシェ。始まったのは2015年6月。「象の鼻」で日曜（Sunday）に開かれることから「ぞうさんマルシェ」と名付けられ、今では土曜日も不定期開催している。さまざまな文化活動を行ってきた象の鼻テラスは、個性的なものづくりをしている店舗が集まる。〝象の鼻で過ごす幸せな週末〟をテーマに、マルシェには地元店舗と大勢の来場者が集まり、特別な空間を楽しみながら、新しい出会いや発見、新しいつながりが生まれる場になっている。

1. おみやげにも自分用にもぴったりな、かわいらしい植物たち　2. 地元の店舗と来場者が近く会話も弾む。マルシェならではの雰囲気を楽しめる　3. 食べきりサイズのシフォンケーキをはじめ、小腹を満たせる商品も並ぶ

ZOU-SUN-MARCHE
ゾウサンマルシェ

山下公園・馬車道 ▶ MAP 付録 P.8 B-2
045-661-0602（象の鼻テラス） 休 月～金曜　※不定期開催のため詳細は事前に要確認　11:00～16:00　横浜市中区海岸通1　みなとみらい線日本大通り駅1番出口から徒歩3分　P なし

マルシェの人気店!!

世界にひとつしかない雑貨を作ろう

atelier-plantsplanet
アトリエプランツプラネット

ナチュラルな色みにこだわったリースなど、花や緑を身近に感じる作品を制作・販売している店。マルシェで開催されるワークショップは、毎回好評なのでぜひ参加したい。

HP atelier-plantsplanet.com

タイの伝統工芸、ソープカービング

chaikha
チャイカ

カービング用のナイフ1本で彫った石鹸の花を使ってアレンジメントに。自宅用にも、ギフトにもぴったり。ほかにタイ雑貨の販売やカービング体験も実施している。

050-7127-5764

人気ベーカリーがマルシェに登場

TOAST neighborhood bakery／Kaoris
トーストネイバーフッドベイカリーカオリズ

ヨーロッパで修業したパン職人が作る、遊び心たっぷりのパン。イギリスの伝統的な"食パン"のほか、まだ日本では紹介されていない珍しいお菓子なども並ぶ。

045-263-8264
横浜市中区本郷町1-25（店舗）

日常を離れて感動体験を

Experience

食べる、買う、だけじゃない。
すてきな体験も旅行の醍醐味。
いつもとはちょっと違う、
心に残る楽しい思い出をつくろう。

Handmade
Macaron
Fragrance

エレガントガラスワーク元町
エレガントガラスワークもとまち
»P.101

★クルーズだからこそ見られる感動の景色

海から横浜の夜景をひとり占め♪

夜景撮影も楽しい！

横浜の夜景を最大限楽しむなら、海の上からが正解！
建物や街灯にもさえぎられない、非日常的な夜景を見に行こう！

横浜を代表する夜景をめぐるロマンティッククルーズ

go! wow! go!

Must Check! ベイブリッジをくぐるところは見どころのひとつ！

Let's go

大人気のクルーズコースも注目!!

三大工場地帯のひとつ、京浜工業地帯の夜景を運河から眺める人気クルーズに行ってみよう！

まるでSF映画♪

工場夜景ジャングルクルーズ

こうじょうやけいジャングルクルーズ

臨海部の工場地帯の夜景を心ゆくまで楽しめるコース。発電所や製油所などさまざまな工場夜景は幻想的かつ迫力もある。

- 電話番号 045-290-8377 (10:00～18:00)
- 乗船場所 ピア赤レンガ桟橋
- 催行日 土･日曜 (天候や風、海の状態により運休の場合あり)
- 出発時刻 曜日、季節により変動あり
- 所要時間 1時間30分
- 料金 ¥6,000
- 予約 必須

夜景評論家･丸々もとお氏監修のクルーズ

リザーブドクルーズ

横浜夜景ファンタスティックカフェシップ

よこはまやけいファンタスティックカフェシップ

"クルーズ中に見ると幸せになれる"といわれる夜景スポット、横浜三塔や横浜ベイブリッジ、女神像「みちびき」などを中心に華やかなみなとみらいの夜景やガントリークレーンが立ち並ぶ本牧ふ頭などを満喫できるクルーズ。ドリンク1杯が付いて追加オーダーもできる。

みなとみらい MAP 付録 P.7 D-1

- 電話番号 045-290-8377(10:00～18:00)
- 乗船場所 ピア赤レンガ桟橋
- 催行日 土曜(天候や風、海の状態により運休の場合あり)
- 出発時刻 曜日、季節により変動あり
- 所要時間 1時間
- 料金 ¥4,000(アルコールまたはソフトドリンク1杯＋おつまみ付)
- 予約 必須

シーバス

横浜みなとみらいイルミネーションクルーズ

よこはまみなとみらいイルミネーションクルーズ

海上から眺めるみなとみらいや横浜赤レンガ倉庫、夜のマリンタワーなどロマンティックな横浜をめぐる。横浜の名所や都市伝説を交えた声優によるガイドも付いた、エンターテインメントクルーズとなっている。

横浜駅周辺 ▶MAP 付録 P.15 C-2

- 電話番号 050-1790-7606(ポートサービス)
- 乗船場所 横浜ベイクォーター2階
- 催行日 土・日曜（天候や風、海の状態により運休の場合あり）
- 出発時刻 19:30
- 所要時間 1時間
- 料金 ¥3,000
- 予約 可

1.2. クルーズ船には開放感ある大きな窓が付いており、船内からも外の景色が存分に楽しめる。後部デッキには窓はなく海風を肌で感じたい人はこちらがおすすめ 3. コスモクロック21とアニヴェルセルカフェの夜景

スカイダック横浜

トワイライトクルーズ

水陸両用バス「スカイダック」が週末限定で出航する夕方発のナイトクルーズ。夕暮れの横浜の街並みが、だんだんと夜景に染まっていくロマンティックな風景を、陸と海の両方から眺めることができる。

みなとみらい ▶MAP 付録 P.7 C-3

- 電話番号 03-3215-0008（スカイバスコールセンター）
- 乗船場所 日本丸メモリアルパーク
- 催行日 主に土・日曜、祝日（天候や季節限定のため運休の場合あり）
- 出発時刻 17:30(季節により変動あり)
- 所要時間 約40～50分
- 料金 ¥3,600(2/1時点、変更になる可能性あり)
- 予約 WEB予約可 https://www.skybus.jp、当日先着順で受け付け

陸から、海から
横浜の夜景を堪能！

1.2. 陸から海、夕方から夜と次々に変化する景色は目が離せない
3. 日が沈む前に出航するので夜景に染まっていく瞬間も見られる
4. スプラッシュはスリル満点

横浜の夜景クルーズは金～日曜と祝日のみ出航。天気のいい日は予約も集中するので、天気予報をこまめにチェック！

自分だけのオリジナルアイテムを作ろう

キラキラ手作りアイテム

買い物やグルメだけじゃなく、何か思い出に残る体験もしたい！
という人におすすめの、オリジナル体験を紹介。

私が教えます！

インストラクター
村岡名津子さん

faro terrace

ファロテラス

横浜駅近くにあるキャンドルスタジオ。海をイメージした店内で、いろいろな種類のキャンドル制作を体験できる。初めての人でも簡単に作れるオリジナルレッスンは海をテーマにしたものや季節を感じるキャンドルなどがあるほか、さまざまなコースがある。

横浜駅周辺 ▶ MAP 付録 P.14 B-2

050-3567-8800　休 水曜　10:00～、13:00～、16:00～、19:00～　横浜市神奈川区金港町6-21 ヨコハマ長島ビル1階　JR横浜駅きた東口から徒歩2分　P なし

1. 明るく開放感がある店内。棚にはたくさんのキャンドルやキャンドル作りの材料が並べられている　2. いろいろな形のキャンドルが飾られており、待ち時間も作品を見ながら楽しめる　3. 店内にはフォトスポットがあり、完成した作品はそこで撮影可能。作ったキャンドルを記念に撮影して帰ろう♪

芯付のキャンドルが入った容器に貝殻やヒトデなどの好きな材料を入れる。入れ過ぎないほうがベター。

青や黄色、ピンクなど、色がついた固形のジェルワックスを選んで小さくちぎって容器に入れる。

容器が埋まるまで入れてください！

材料やジェルワックスを詰めたら、溶かした液状のジェルワックスを入れて冷蔵庫で約10分冷ます。

プルプルジェルキャンドル体験

- 料金　¥4,000（2個）
- 所要時間　2時間
- 予約　店舗HPもしくは電話にて予約 http://faroterrace.com

10時、13時、16時、19時から開催。平日の13時が比較的すいている。

エレガント ガラスワーク元町

エレガントガラスワークもとまち

元町ショッピングストリートにあるガラス教室。話題のサンドブラストやポリマークレイ、グルーデコ®などの体験ができる。1~2時間で体験できるコースもたくさんあるので、買い物途中に立ち寄るのもおすすめ！

山手・元町 ▶ MAP 付録 P.10 B-4

045-662-7686 休 月・火曜(祝日の場合は営業)、金曜不定休 10:00~17:30 横浜市中区元町4-179 ウィスタリア元町6階 みなとみらい線元町・中華街駅5番出口から徒歩6分 P なし

1. プレゼントにぴったりのかわいらしいアロマフレグランスストーン。まるで本物のマカロンみたい！ 2. 店内には小林先生が作ったいろいろな作品が置かれている。見ているだけでも楽しくなるかわいい作品ばかり！ 3. 美しいデザインのキャンドルホルダーは「ガラス絵体験」（料金:¥4,400、所要時間:約3時間）で作れる

インストラクター
小林美樹さん

Experience

手作りアイテム

step1
焦らずに少しずつ！

材料を計量したあと、マカロンを何色にするかを決めて、絵の具を溶かす。少しずつ水に溶かすのがポイント。

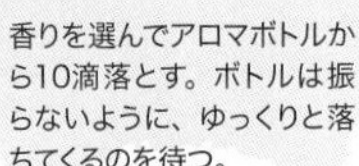

香りを選んでアロマボトルから10滴落とす。ボトルは振らないように、ゆっくりと落ちてくるのを待つ。

色をつけた石膏を型に均一に流し込んで約45分、固まるのを待つ。固まったら型からはずして完成！

体験 DATA

アロマフレグランスストーン体験（マカロン）

料金 ¥3,850
所要時間 1時間30分
予約 店舗HP、当日は電話にて予約 https://www.elegant-glass.com/taiken.html

10時、13時、15時半からの時間から選べる

「エレガントガラスワーク元町」では、乾燥するのを待つ間にほかの体験をすることも可能！

Sup Style

みなとみらいを水上さんぽ

横浜の運河でSUP体験!

横浜で毎日サップができるって知ってた?
みなとみらいのビル群を横目に見ながら、サップを楽しもう!

初めてでも楽しめちゃいます!

私が教えます!

インストラクター
深田 聖子さん

体験 DATA

SUP体験

開催日	毎日
開催時間	10:00〜11:30、13:00〜14:30
料金	¥4,000
参加条件	原則中学生以上 ※中学生の参加は保護者同伴
予約	HPまたは電話にて予約 http://yokohamasup-club.com/

ここで体験できる!

横浜SUP倶楽部

よこはまサップくらぶ

大岡川を中心にサップ体験ができる。川でのサップは海よりも波が穏やかなので初心者のサップデビューに最適。インストラクターがていねいに教えてくれるので安心して楽しめる。スクールを開催するほか、活動水域のリバークリーンやさまざまなイベントも開催。

日ノ出町 ▶ MAP 付録 P.4 B-3

090-3502-2701 休 不定休
10:00〜11:30、13:00〜14:30 横浜市中区日ノ出町2-166-1
京急線日ノ出町駅から徒歩3分 P なし

SUP体験の流れ

1 START レクチャーを受ける

まずは陸上でパドルの操作方法やボード上での立ち位置、水面上での注意点などのレクチャーを受ける。しっかり話を聞こう！

まずはひざ立ちで！ 2

体験の最初はひざをついた状態でこぐ。ひざ立ちの状態でこぐことに慣れてから、ゆっくりと立ち上がり、立った姿勢でこいでみよう。

3 日ノ出町から橋の下をくぐってみなとみらいへ

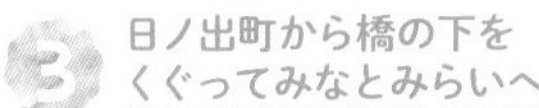

出発してから黄金橋、旭橋、長者橋など、いくつもの橋をくぐってみなとみらいへ向かう。途中で都橋商店街も見えてくる！

みなとみらいに到着 4

みなとみらいに到着すると横浜ランドマークタワーが目の前に見える！ 大観覧車やアニヴェルセルカフェなどもすぐそこに！

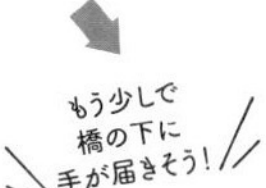

Good! 折り返して日ノ出町へ 5

みなとみらいから折り返して出発した日ノ出町へ。また橋をくぐって帰ろう。帰り道はすっかり慣れてポーズをとる余裕も！

GOAL 6

無事にゴール！ 往復約90分のコース。しっかり汗もかいてリフレッシュ。春には川岸に桜が咲いて、絶景を楽しみながら体験できる。

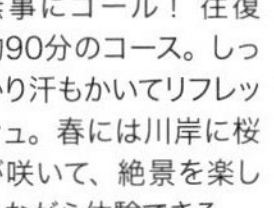

Experience

横浜でSUP

服装はぬれても大丈夫な動きやすいスポーツウエアでOK！

Baseball Game

横浜の誇り！

ハマスタで横浜DeNAベイスターズを応援！

横浜はもちろん、全国にファンがいるプロ野球球団・横浜DeNAベイスターズ。
本拠地で選手たちの活躍を生で応援しよう！

©YDB

ワァァァ

ワァァァァ

ワァァァァ

ワァァァァ

1

横浜DeNAベイスターズの本拠地で野球観戦！

横浜スタジアム

よこはまスタジアム

日本初の国際試合が行なわれるなど、野球ゆかりの地に建てられたスタジアム。プロ野球チーム・横浜DeNAベイスターズの本拠地としても利用されており、「ハマスタ」の愛称で親しまれる。ドーム球場では味わえない開放感があるスタジアムで、チームの応援に熱中しよう。

山下公園・馬車道 ▶ MAP 付録 P.9 C-3

045-661-1251　休 イベントにより異なる　横浜市中区横浜公園　JR関内駅南口からすぐ　P なし

※掲載内容は2023年のもの。価格は今後変更の可能性あり

1.試合終了後は選手とともに観客も盛り上がる　2.3.全席指定席だが、試合開始30分前のスタメン発表時には着席しておきたい　4.球団マスコットの「DB.スターマン」と「DB.キララ」。見つけたら声をかけよう

これを買えばもっと応援が楽しくなる！

GOODS

ベイスターズグッズをそろえて、ファンと一緒に応援しよう！

球場での試合観戦に欠かせない応援グッズ。充実したラインナップのグッズショップでアイテムを購入し、ファンと一体になって思う存分選手たちの活躍を応援しよう！

ハイクオリティーレプリカユニフォーム (HOME YOKOHAMA STRIPE)
¥9,900(背番号あり)
¥9,000(背番号なし)
YOKOHAMA STRIPEがデザインされた、ベイスターズを応援するマストバイアイテム

I☆YOKOHAMA タオルマフラー
¥1,600
ヒーローインタビューでもおなじみのタオルマフラー

勝利を信じて一緒に応援！

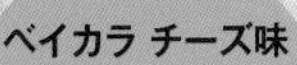

ぬいぐるみ DB.スターマン
¥6,800(L)
¥4,400(M)
¥2,900(S)
おみやげでも人気が高い、DB.スターマンのぬいぐるみ

KAWAII!

なりきりカチューシャ
¥2,400
かわいい耳と小さなベイスターズキャップがついたカチューシャ

FOOD

観戦のお供！球場グルメを味わおう！

力いっぱい応援しておなかがすいたら、ハマスタのオリジナルグルメがおすすめ！　観戦気分がさらに盛り上がる。

OISHII!

ベイカラ チーズ味
¥650
グラナパダーノチーズを絡めてから提供する､2度揚げ製法の本格唐揚げ

目玉チャーハン
¥1,100
長年多くの選手やスタジアム関係者から愛されてきたチャーハン

BAYSTARS LAGER
¥800
観戦のおともにピッタリな横浜スタジアム名物の球団オリジナル醸造ビール

KANPAI

ビールも一緒に！

ベイスターズ･エール
「横浜ベイブルーイング」と共同開発した球団オリジナル醸造ビール。女性でも飲みやすいすっきりとした味わいが特徴。CRAFT BEER DINING &9で購入しよう。

&MORE

ベイスターズをより身近に!!

ハマスタの近くで営業中の横浜DeNAベイスターズの複合施設もチェック!

THE BAYS
ザ ベイス

横浜DeNAベイスターズが提唱する「横浜スポーツタウン構想」の中核施設。野球をテーマとした飲食店やライフスタイルショップなどが出店する複合施設。

山下公園・馬車道
▶MAP 付録 P.9 C-3

☎非公開　休 不定休　営 施設により異なる　横浜市中区日本大通34　JR関内駅南口から徒歩7分　P なし　HP http://www.baystars.co.jp/thebays/

1.ライフスタイルショップ「+B」 2.建物は旧関東財務局横浜財務事務所を活用

「2020年東京オリンピック競技大会」では野球、ソフトボールの主会場に！

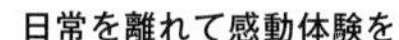

おなじみ商品の魅力を再発見

おいしさの秘密に迫る工場見学

普段よく目にする食べ物&飲み物の工場見学に参加して、
新しい発見に出会ってみよう

見学ツアー

料金
無料
※HPより事前予約制

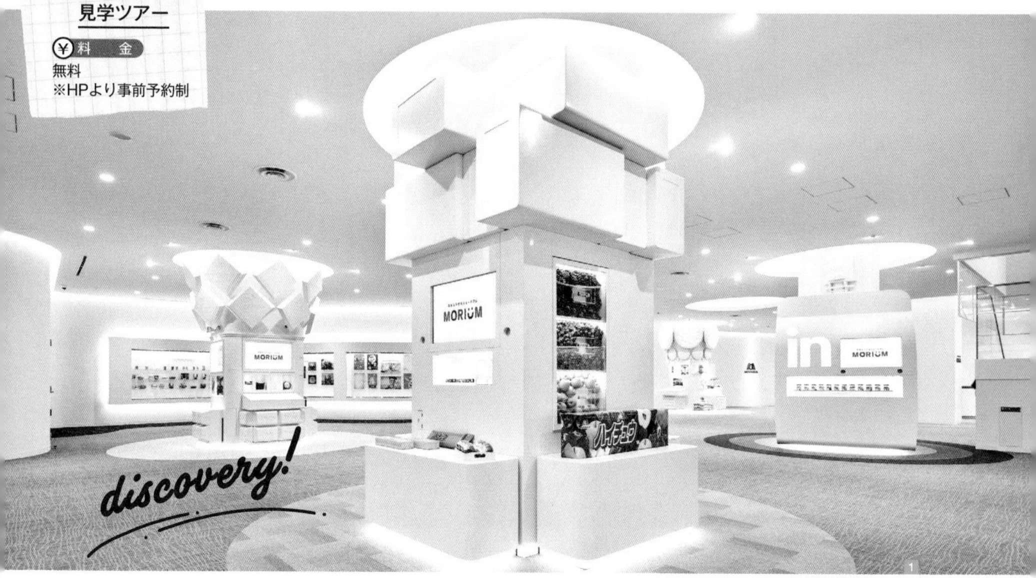

discovery!

見学後は季節に合わせたおすすめ商品の試食も

森永エンゼルミュージアム MORIUM

もりながエンゼルミュージアムモリウム

森永製菓の歴史や技術はもちろん、商品に込めた作り手の思いも紹介するミュージアム。巨大スクリーンを用いた映像付きの解説や模型の展示も行っているので、幼少期からなじみ深い商品の数々をさらに詳しく知れるきっかけになる。

鶴見区 ▶ MAP 付録 P.3 C-1
080-8744-3102
休 土・日曜、祝日、工場指定定休日
9:30～11:30、12:30～15:30
横浜市鶴見区下末吉2-1-1
JR鶴見駅東口から新横浜駅前行きバスで10分、森永工場前下車すぐ
P なし

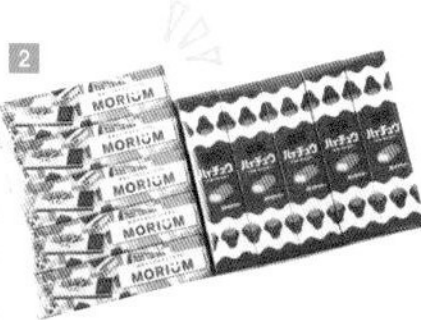

2

3

1.白を基調とするデザインで統一された近未来的なエントランス 2.「MORIUM ハイチュウ」各¥1,080 3.「MORINAGAヒストリーポストカード」各¥110 4.約120年の森永製菓の歴史を紹介 5.ツアーはスクリーンでの映像でスタート

4

5

EXPERIENCE MENU

工場だけの特別体験。キリン一番搾りおいしさ実感ツアー

料金
20歳以上1人500円、20歳未満無料
※工場見学予約電話かインターネットでの完全予約制

Brewery

※ショップ商品のデザイン、仕様、価格は変更の場合あり

1.ビールが出荷されるまでの工程をツアー形式で見学　2.仕込釜を見ながら映像で一番搾り製法が学べる　3.ツアーの最後は3種の一番搾りシリーズのテイスティング　4.「一番搾り特製グラス」¥500。注ぎ方のレクチャー動画付き　5.おみやげにおすすめの「柿の種チーズ味3種セレクトミックス」¥700

Experience

工場見学

食事はココで！

キリン横浜ビアホール

神奈川県の名産品・野菜を使用したビールにぴったりの料理がそろう併設のレストラン。多彩なビールとペアリングを楽しめる。

1.かながわブランドの「やまゆりポーク スペアリブのロースト」¥3,280
2.ビールとの相性を楽しむ「ペアリングプレート8種盛り」¥3,800
3.明治の横浜を思い起こすようなクラシカルな外装

五感で感じる工場ならではの特別体験

キリンビール 横浜工場

キリンビールよこはまこうじょう

日本で初めてのビール醸造所ができた横浜にあるビール工場。体験ツアーでは原料である麦芽やホップを実際に触ったりできるほか、臨場感あふれる産地の動画などでビール造りの過程を学べるブースもある。ビール好きにはたまらない体験内容だ。

鶴見区 ▶ MAP 付録 P.3 C-2

045-503-8250　休 月曜（祝日の場合は営業し翌平日休）　10:00～15:00
横浜市鶴見区生麦1-17-1
京急本線生麦駅から徒歩10分　P 24台

「キリン横浜ビアホール」では、工場直送の新鮮なビールやクラフトビールが飲み放題で楽しめるコースも！

オリジナル「カップヌードル」も作れる人気ミュージアム

インスタントラーメンの魅力を知ろう！

毎年100万人以上が来館する人気スポット

日本が世界に誇る食文化のひとつである、インスタントラーメン。その発明者であり、NHK連続テレビ小説『まんぷく』のモデルにもなった安藤百福の「子どもたちに発明・発見の大切さを伝えたい」という思いを伝える施設として2011年に開館した。安藤百福の「クリエイティブシンキング＝創造的思考」をコンセプトに、全館にわたって見て・触って・遊んで・食べてと、大人でも楽しめる体験型食育ミュージアムになっている。食べ慣れたインスタントラーメンの新しい魅力が発見できるかも？

3000点を超えるパッケージがずらり

カップヌードルミュージアム 横浜

インスタントラーメンにまつわる展示や体験が楽しめるミュージアム。大人気の「マイカップヌードルファクトリー」は来館者のほとんどが体験。

みなとみらい ▶ MAP 付録 P.7 C-2

☎045-345-0918 休火曜（祝日の場合は翌日休）
🕒10:00～17:00（閉館は18:00） ¥500円、高校生以下無料 📍横浜市中区新港2-3-4 👣みなとみらい線みなとみらい駅クイーンズスクエア連絡口から徒歩8分
P40台 HP http://www.cupnoodles-museum.jp

SOUVENIR 大人気アイテムをチェック！

ミュージアムショップ

インスタントラーメンにまつわる商品を取り扱う。「カップヌードルミュージアム」のオリジナルグッズも多数ラインナップ。

1. ひよこちゃんが愛らしい「チキンラーメンサブレ」¥1,050(12枚入り) 2. 人気のカップヌードル4種のミニサイズマグネット「カップヌードルマグネット」¥400 3. 組み立てるとカップヌードルの形になる「カップヌードルメッセージメモ」¥500

EXPERIENCE オリジナル「カップヌードル」を作れる！

マイカップヌードルファクトリー

ミュージアムの人気No.1アトラクション。具材やスープを選んで作れる組み合わせは5460通り。自分の好みの「カップヌードル」を作ることができる。

料金
1食¥500（年齢制限なし）

所要時間
約45分

予約方法
当日入館後に希望時間の「整理券」を受け取る。ローソンチケットで「利用券つき入館券」を事前に購入すれば予約も可能。

1. カップに自分好みのメッセージやイラストを描くことができる
2. 正面は「マイカップヌードルファクトリー」のオリジナルロゴになっている 3. トッピングカウンターで好みの具材とスープを選ぶ

ココロのリセット承ります

Healing

遊び疲れた体と心をリフレッシュ。
ココロもカラダも癒してくれる
横浜のすてきな場所、
見つけました。

Relaxing time at the aquarium

横浜・八景島シーパラダイス
よこはまはっけいじまシーパラダイス
»P.110

Sea Paradise

“海”を感じる水族館

横浜・八景島シーパラダイスで癒やしの時間♪

海の中をさんぽしているような気分になれる水族館。
かわいい生き物たちに癒やされよう！

LABO 5

大海原に生きる群れと輝きの魚たち

国内最多飼育数を誇る5万尾のイワシの群泳がきらめく。

まるで海の底にいるかのような
青い世界に癒やされたい

「アクアチューブ」では、180度水中さんぽの気分を楽しめる。頭上を泳ぐ魚たちに癒やされよう

ホッキョクグマは泳ぎが得意！

TOTAL 5.0H

9:00～13:00～15:00～18:00

POINT

4つの水族館をじっくりまわるなら余裕をもって5時間くらいがベター。

Penguin

横浜・八景島シーパラダイス

よこはまはっけいじまシーパラダイス

700種12万点の生き物がくらす日本最大級の水族館。テーマが異なる4つの水族館があり、イルカやアザラシなどの海の生き物から、レッサーパンダなどといった陸上の生き物まで勢ぞろい。生き物たちとのふれあい体験も楽しめるので、旅の思い出作りにもピッタリ。

金沢区 ▶MAP 付録 P.3 C-4

☎045-788-8888 休無休
⏰10:00～17:00（季節・施設により異なる） ¥入島無料、アクアリゾーツパス（4つの水族館入場）3,300円、小・中学生2,000円、ワンデーパス（4つの水族館＋アトラクションフリー）5,600円、小・中学生4,000円ほか ♀横浜市金沢区八景島 🚶金沢シーサイドライン八景島駅からすぐ P4000台
HP http://www.seaparadise.co.jp

Lovely

Dolphin Fantasy

自然の海に近い状態を再現した「アーチ水槽」が特徴の水族館。イルカが泳ぐ姿を見られる。

Bottlenose Dolphins♪

バンドウイルカが泳ぐアーチ水槽には日の光が降り注ぎ、キラキラと光る水面とイルカたちの姿を眺められる。

+α MORE ENJOY!

海の生き物と直接ふれあえる！

FUREAI LAGOON

人との仕切りをできる限り取り除く工夫がされ、間近で生き物とふれあったり見学したりすることができる。

おすすめのフォトスポット

PHOTO SPOT

八景島内にはフォトジェニックなスポットも。アクアミュージアム館内や「ドルフィン ファンタジー」の外壁が人気！

Kawauso!!

Pelican

水浴びをするカピバラも目の前で！

コツメカワウソと握手体験も！

LABO 10 フォレストリウム

カピバラやマーラ、フラミンゴなど、隔てるものがない至近距離で生き物たちを観察できる。エサを与えたり、握手ができたりと、ふれあいプログラムも実施！

LABO 1 はじまりの海

まるで熱帯雨林のような水槽

館内に入って最初のプロローグエリア。幅約10mの水槽群で、海の中のサンゴ礁を再現している。

Fish

シーパラのキャラクターフィッシュ「キイロハギ」も

Cute

AQUA MUSEUM

700種類、12万点の生きものを展示する日本最大級の水族館。美しい魚に出会える場所。

LABO 9 くらげりうむ

フォトジェニックな世界が広がる

見ているだけで癒やされるクラゲを展示。見渡す限り美しい世界が広がるリラックスゾーン。

飼育員による給餌シーンも見られる！

LABO 3 海で進化した動物たち

アザラシなどの海獣類が展示されているエリア。水槽上部には自然界での姿を紹介する映像も流れている。

Healing

「うみファーム」では実際に釣った魚を食べる“食育”体験ができる！

Bath Healing

横浜の絶景を見ながら癒やされる

癒やしの絶景スパ

美しい夜景も横浜の魅力のひとつ。
湯に浸かりながら望む景色に体もココロもリラックス！

Healing Spot
岩盤浴心石庵

FOOT BATH

みなとみらいが眼下に広がる
贅沢な絶景温泉施設

旅の疲れもとれて
リフレッシュ♪

Healing Spot
露天風呂

OTHER
- 檜風呂
- リフレクソロジー
- タイ古式マッサージ

1. 効能を最大限引き出した造りの岩盤浴(別途¥1,200)
2. 大観覧車が驚くほど近くに見える屋上。足湯庭園は幻想的な雰囲気に包まれる　3. 趣のある露天風呂。緑に囲まれて心身ともにリラックスできる

横浜みなとみらい万葉倶楽部

よこはまみなとみらいまんようくらぶ

湯河原と熱海から毎日運ばれてくる天然温泉に浸かりながら、横浜港やみなとみらいの景色が楽しめる温泉施設。なかでも、目の前の大観覧車を眺めながら浸かれる足湯は大人気。くつろげる露天風呂や休憩所、食事処も完備する。

みなとみらい ▶ MAP 付録 P.7 C-2

☎0570-07-4126　休年2回休館日あり　24時間(宿泊はIN 17:00 OUT 11:00)　¥セット入館料2,950円(翌3:00～別途深夜料金が必要、宿泊料11,500円～　※セット入館料と深夜料金を含む)　※入湯税別途100円　横浜市中区新港2-7-1　みなとみらい線みなとみらい駅クイーンズスクエア横浜連絡口から徒歩5分　P226台

サウナシアター

スカイスパ YOKOHAMA

スカイスパヨコハマ

Healing Spot

横浜駅直結
日常の喧騒を離れて
くつろぎの時間を

BATH

横浜駅東口から地下街直結とアクセス抜群のスパ&サウナ。スカイビル14Fにあり、眼下には横浜の絶景が広がる。15Fには館内着で利用できる男女共有の大型サウナがあるなど、都会にいながら日常の喧騒を離れてゆったりした時間を過ごせる。

横浜駅周辺 ▶ MAP 付録 P.15 C-3

☎045-461-1126 休無休 🕒24時間(8:30~10:30は清掃のため浴室利用不可) ¥入浴料2,550円(平日)、3,150円(土･日曜、祝日) 📍横浜市西区高島2-19-12 スカイビル14階 👣JR横浜駅から徒歩5分 P351台

1. 昼と夜で趣を変えるドライサウナ 2. ととのい椅子から横浜の港を一望できる浴室(男性)。人気のサウナのほか、ジェットバスや人口温泉も楽しめる 3. サウナシアターでは、ヨガや瞑想のクラスも行われる

SPA

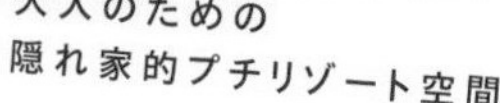

大人のための
隠れ家的プチリゾート空間

天望テラス

Healing Spot

INSPA横浜

インスパよこはま

みなとみらいを一望できるスパ。オートロウリュが導入されたサウナを利用できるので、抜群の発汗作用を体感してみよう。ほかにも岩盤浴など充実した施設があり、一日リラックスできる。初回はリゾートメンバー登録が必要。

神奈川区 ▶ MAP 付録 P.4 A-1

☎045-451-4301 休木曜 🕒10:00～23:00 ¥レギュラー入館料2,750円ほか 📍横浜市神奈川区山内町15-2 👣JR東神奈川駅･京急東神奈川駅から無料送迎バスで5分 P200台

1. 海底1500mから湧く湯は黄金色。濃度が高く良質で「美人の湯」と呼ばれる 2. 展望テラスは眺望抜群で昼景も夜景も絶好のロケーション。潮風を感じながらクールダウンしよう 3. 前菜ブッフェが人気のレストラン「客座」。ディナーではインスパ名物「きなこ豚のしゃぶしゃぶ」や神奈川初上陸「炊き肉」がおすすめ

どの施設も、レストランやカフェが併設されており、ゆったりとリラックスして過ごせる。

ラグジュアリーな気分で宿泊

憧れホテルで極上ステイ

横浜で一度は宿泊してみたい憧れのホテルをピックアップ！
美しい夜景を見ながら、最高の夜を過ごしちゃおう。

View Point
バルコニー付客室があり、横浜・みなとみらいならではの眺めが楽しめる。ベイビュー、パークビュー、シティビューの3方向がある

1. ホテル23・24階にある「ベイクラブフロアグランドコーナースイート」。パノラマウインドゥからはみなとみらいの景色が一望できる抜群のロケーション　2. 大観覧車を間近に望むホテル　3. 夜景を極上空間で眺めたいなら、特別仕様バスルーム付の「ラグジュアリーキング(ダブル)」、「ラグジュアリーオーシャンツイン」を

Restaurant Check

オールデイダイニング「カフェトスカ」 »P.74

Another Room

エグゼクティブツイン ベイビュー

デラックスツイン シティビュー

みなとみらいの絶景を一望！

横浜ベイホテル東急

よこはまベイホテルとうきゅう

多くの客室が広々とした空間にデザインされており、ゆったりくつろげると評判。みなとみらい駅直結でアクセスも抜群なので、どこへ行くにも利便性に優れる。ベイビューはもちろん、みなとみらいの美しい夜景も楽しめる。

みなとみらい ▶ MAP 付録 P.6 B-2
☎045-682-2222　IN 15:00　OUT 11:00
¥T57,000～126,000円／W77,000～120,000円／SU165,000～1,000,000円
横浜市西区みなとみらい2-3-7
みなとみらい線みなとみらい駅直結
P 1700台(車高制限あり、街区共用)

高層階から見下ろす横浜の大パノラマ

横浜ロイヤルパークホテル

よこはまロイヤルパークホテル

みなとみらいのシンボル「横浜ランドマークタワー」の49~70階にある高層ホテル。全客室が52階以上で、"すべての客室が展望台"といわれるほど抜群の眺望を誇る。客室からの夜景は感動的な美しさ!

みなとみらい ▶ MAP 付録 P.6 B-3

☎045-221-1111　IN 15:00　OUT 11:00
¥T58,190円~/W51,865円~/SU177,100円~
横浜市西区みなとみらい2-2-1-3　みなとみらい線みなとみらい駅5番出口から徒歩3分
P 1400台(車高制限あり)

1. 横浜の夜景が眼下に広がるスカイリゾートフロア「アトリエ」コーナーダブル　2. ホテル70階にあるスカイラウンジ「シリウス」　3. 49階「ランドマークスパ」のスカイプールからは富士山が望める　4. ホテルが入る横浜ランドマークタワー

View Point
東西南北それぞれ最高の眺望。夜景なら街の灯りがきらめく南西、朝なら北東のベイサイドがおすすめ

横浜を代表するシンボルホテル

ヨコハマ グランド インターコンチネンタル ホテル

風をはらんだヨットの帆を模した外観で知られるラグジュアリーホテル。大観覧車など、みなとみらいを望むシティビューとベイブリッジなど海を一望するハーバービューの2タイプの客室がある。

みなとみらい ▶ MAP 付録 P.7 C-1

☎045-223-2300　IN 15:00　OUT 11:00
¥T23,000円~/W22,000円~
横浜市西区みなとみらい1-1-1　みなとみらい線みなとみらい駅6番出口から徒歩5分
P 1154台

1. 海に浮かんでいるような絶景を楽しめる「プレミアムルーム(ハーバービュー)」　2. みなとみらいエリアの中でいちばん海に近いホテル　3. 窓の外一面に広がる海を感じながらトリートメントを受けられるスパ「ベイウィンドー」(事前予約制)

Check

ブッフェ・ダイニング オーシャンテラス »P.75

Night view

View Point
ハーバービューの客室なら横浜港を、シティビューなら観覧車などみなとみらいの街並みを、大きな窓から一望できる

3施設ともに女性にうれしいエステティックサロンやスパを完備!

横浜といったら崎陽軒！

横浜市民のソウルフードといえば、崎陽軒のシウマイ。昭和3（1928）年の誕生以来、変わらぬ味で愛され続ける、横浜の名物を味わおう！

うまさのヒミツ
干帆立貝柱を加えることで味も香りもアップ。冷めてもおいしい一口サイズ

シウマイ弁当
¥950
「昔ながらのシウマイ」と人気のおかずが入った定番弁当

2.8cm
3.0cm

あんの中身
具材は豚肉、たまねぎ、干帆立貝柱、グリンピースなどシンプル。保存料も不使用

充実のラインナップ あなたはどっち派!?

シウマイ OR 弁当

おいしさ長もち黒豚シウマイ
¥710（6個入）
黒豚ならではの食感と黒コショウのアクセントが光る

おいしさ長もちかにシウマイ
¥780（6個入）
ズワイガニのうま味とクワイのシャキシャキ食感◎

特製シウマイ
¥1,480
（12個入）
濃厚かつジューシーでふっくらとした食感

昔ながらのシウマイ
¥660（15個入）
崎陽軒のといえばコレ！ 首都圏のみで販売されている

横濱チャーハン
¥730
昔ながらのヤキメシの面影が残る。半世紀以上愛される一折

横濱中華弁当
¥1,160
崎陽軒の中華へのこだわりが詰まった大満足の弁当

横濱ピラフ
¥730
魚介のブイヨンを使ったパラパラの本格的なピラフ

しょうが焼弁当
¥850
冷めてもおいしい豚肉のしょうが焼き。ご飯もすすむ！

大人気 崎陽軒工場見学とは？

崎陽軒の歴史やシウマイの製造工程、しょう油入れのひょうちゃんなど、見どころがいっぱい！ 最後にはできたてのシウマイの試食もできる。なかなか予約が取れないが、一度は行ってみたい大人気の工場見学ツアー。

1 まずは崎陽軒の歴史を知ろう

工場見学ツアーはオリエンテーションからスタート。崎陽軒のこれまでの歩みや原材料へのこだわりの解説、シウマイ誕生秘話から現在にいたるまでの歴史を映像で学ぶことができる。

2 シウマイの製造工程を見学

シウマイの具材となる豚肉、タマネギ、干帆立貝柱、グリンピースなどの原材料が一気に混ぜられ、機械から機械へと作業が引き渡される。窓越しになるが、臨場感ある製造工程を見学できる。

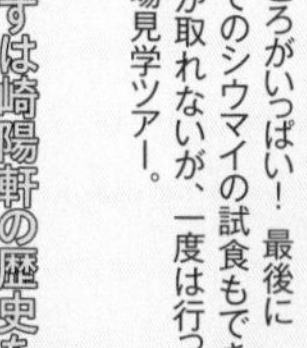
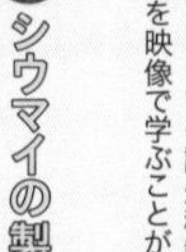

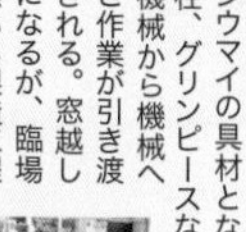

3 成形されていくシウマイたち

よく混ざった具材を投入し、成形していく様子を間近で見学することができる。1日に約80万個のシウマイが製造されるとあって、シウマイが成形されてどんどん出てくる様子は圧巻のひと言！

シウマイだけじゃない!! 崎陽軒商品

お茶うけにもおみやげにもぴったり!

横濱月餅
(小豆・栗・宇治抹茶・黒ごま)
¥150(1個)
バター風味の皮でしっとりとした和風あんを包んだ、崎陽軒のオリジナル月餅

小豆あんとアイスが合う!

横濱月餅アイス
¥340
さっぱりとしたミルクのアイスに、小さな「横濱月餅(小豆)」をのせたアイスクリーム

横濱ひょうちゃんサブレ
~金ごま~
¥300(5枚入)
ふっくらかわいらしいひょうちゃんをかたどった、金ごまの香ばしい味わいとサクっとした食感が特徴のサブレ

崎陽軒横浜赤レンガ倉庫店
きようけんよこはまあかレンガそうこてん

崎陽軒の味は弁当以外にもレストランでも味わうことができる! 赤レンガ倉庫店の限定シウマイ、ずわいがにや赤米を練り込んだ「赤レンガシウマイ」(3個¥600)はぜひ注文したい一品。

みなとみらい ▶ MAP 付録 P.7 D-1
☎045-650-8761 休 不定休
🕒11:00~20:30(閉店は21:00)
📍横浜市中区新港1-1
👣みなとみらい線馬車道駅6番出口から徒歩6分 P 179台

崎陽軒オリジナルグッズをチェック

崎陽軒のおすすめオリジナルグッズはコレ!

おでかけのおともに!

シウマイお弁当箱&お箸セット
¥2,680
崎陽軒の看板製品「シウマイ弁当」がお弁当箱に!?

昔ながらのシウマイポーチ
シウマイ弁当ポーチ
各¥1,800
パッケージデザインがプリントされた、使い勝手の良いポーチ

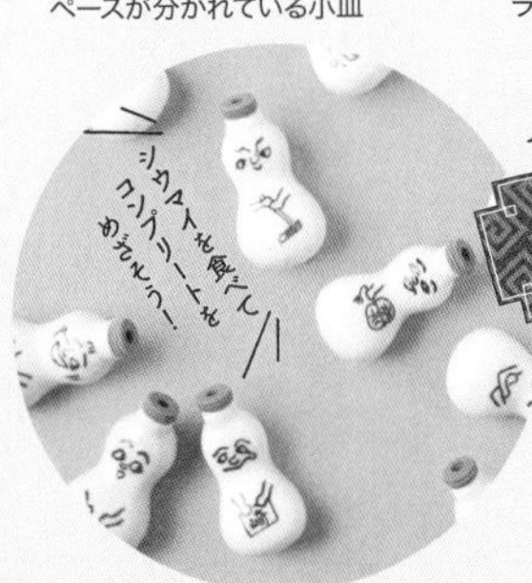

2色とも買ってペアカップに!

ひょうちゃん小皿 各¥480
シウマイとしょう油を盛り付けるスペースが分かれている小皿

ひょうちゃんマグカップ
各¥660
家でもオフィスでも使いたい。カラーはブルーとオレンジの2種

ひょうちゃん COLLECTION

キュートなしょう油入れ

シウマイも食べてコンプリートをめざそう!

コレクターも多い磁器製のひょうちゃんのしょう油入れは「昔ながらのシウマイ」と「特製シウマイ」に入っている。さまざまな表情のひょうちゃんが全48種!

崎陽軒横浜工場
きようけんよこはまこうじょう

ここで製造されるシウマイは1日約80万個! 大人気の工場見学ツアーは、なかなか予約できないが無料で参加できる。

都筑区 ▶ MAP 付録 P.2 B-1
☎045-472-5890 休 日・月・木曜、毎月末日 ¥ 見学無料 🕒9:30~15:30(予約制) 📍横浜市都筑区川向町675-1
👣JR新横浜駅北口から市営バス96系統川向耕地行きで10分、港北インター下車、徒歩5分 P 3台(要予約)
HP http://kiyoken.com/factory

4 歴代ひょうちゃんのしょう油入れの展示

歴代ひょうちゃんのしょう油入れがずらり。初代から現在の3代目までの全ひょうちゃんや、期間限定で封入されたレアなひょうちゃんなど、さまざまな表情のひょうちゃんが見られる。

5 弁当の箱詰め作業はまさに職人技!

弁当の箱詰めはなんと手作業! シウマイから順番に、おかずを流れ作業でひとつひとつ箱に詰めていく。このラインの作業員は15名前後で、おかずを詰めるすばやい手さばきは、まさに職人技!

6 できたてのシウマイ試食できる♪

ツアーの最後は、蒸したての「昔ながらのシウマイ」や「シウマイ弁当」のおかず、お菓子を試食することができる。しょう油入れのひょうちゃんはおみやげとして1つ持ち帰れる。

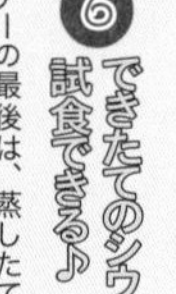
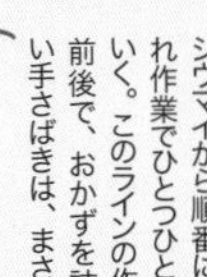

Enjoy Jazz Live & DINING

YOKOHAMA JAZZ BAR!

“ジャズの街”とも呼ばれる横浜は、ジャズを聴きながら料理や酒を楽しめるレストランが数多くある。異国情緒ある横浜で音楽に酔いしれたい。

港をイメージさせるインテリアも

1. 日によって演奏する人数や楽器も変わる。その日にしか聴けない即興の音楽を旅の思い出に留めよう　2. 店内にはテーブル席もあり、リラックスして音楽に耳を傾けられる　3. ライブ情報が張り出された店外

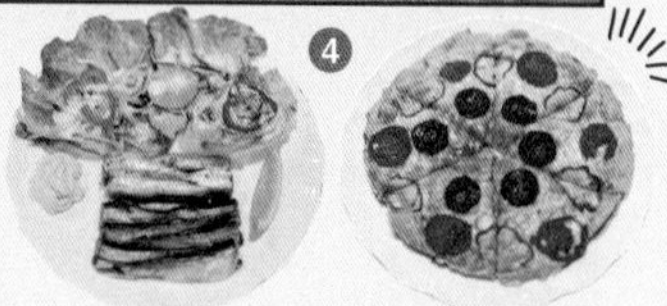

4. 豊富なラインナップのアルコール類はもちろん、見た目鮮やかなフードメニューも多数提供している

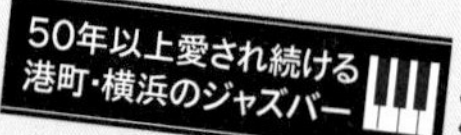

Yokohama JAZZ FIRST

ヨコハマジャズファースト

1968年の創業後、ジャズバーやライブハウスとして音楽を楽しめる場を提供し続けている。ライブの日程はHPやSNSでアナウンスされ、ライブごとに開始時間が異なるので、事前に確認してから訪問するのがおすすめ。

日ノ出町 ▶ MAP 付録 P.4 B-3

045-251-2943　休 火曜
18:00～23:00(ライブにより異なる)
横浜市中区長者町9-140 第2吉田ビル1F
京急日ノ出町駅から徒歩3分
P なし

チャージ料金システム
2オーダー制。1オーダーの場合別途¥600
(ライブ時は別途Music charge料あり)

横浜で最も歴史が
長いジャズハウス

ダウンビート

昭和31（1956）年から営業し続けている老舗ジャズ喫茶。開店当初から変わらない雰囲気は、往年のジャズ喫茶空間そのままで、まるでタイムスリップしたかのよう。アナログレコードから流れるジャズに、いつまでも聴きほれてしまう。

野毛 ▶ MAP 付録 P.14 A-1

045-241-6167　休 月曜　16:00〜23:30
横浜市中区花咲町1-43　地下鉄桜木町駅南2B出口からすぐ　P なし

チャージ料金システム
チャージ料なし

1. 入口を入って右にカウンターがある。約3800枚の壮観なレコード棚も見ることができる　2. スピーカーは「アルテックA7」。木管楽器の再生が特にここちいい

小声でのおしゃべりならOK

アナログレコード♪

アンティーク調の店内で
本格ライブを毎日開催

よいどれ伯爵

よいどれはくしゃく

2024年で創業56年目となる、関内駅から徒歩5分の老舗ジャズバー。ゆったりとしたソファー席でのんびりくつろぎながら、ジャズボーカル中心の本格ライブをお酒とともに楽しめる。

フリーWi-Fiもうれしい

1. アンティーク調でまとめられた落ち着きのある空間で、本格的なライブを堪能
2. カウンター席に腰掛けながら聴くのもおすすめ

関内 ▶ MAP 付録 P.4 B-3

045-261-0272　休 日曜　18:30〜23:00
横浜市中区末広町2-5 浜喜ビル地下1階
JR関内駅北口から徒歩5分　P なし

チャージ料金システム　チャージ料¥3,000〜

横浜がJAZZに染まる♪

横浜の街全体がステージ！
日本最大級のジャズフェスティバル

横濱JAZZ PROMENADE

よこはまジャズプロムナード

「街全体をステージに」を合言葉に毎年開催される横浜の秋の風物詩。横浜の歴史、文化、ロケーションを生かして、歴史的建造物やジャズハウス、街角など約30会場でライブを開催。10万人を超す来場者を魅了する。

桜木町駅前・馬車道ほか ▶ MAP 付録 P.7 C-4 ほか

045-211-1510（横濱JAZZ PROMENADE実行委員会）

会場　関内駅、桜木町駅、みなとみらい周辺
開催時期　10月上旬

1. 横浜オールスターズby中村誠一(C)YJP（撮影：クルー小山）　2. クイーンズパーク(C)YJP（撮影：クルー長澤）　3. 元町ショッピングストリート(C)YJP（撮影：クルー小山）

ACCESS GUIDE 交通ガイド

DEPARTURE

［まずは横浜をめざす］

ココだけはおさえたい！ **Key Point**

- ◆各地から横浜へ向かうのは、飛行機、新幹線、高速バスの3手段。
- ◆横浜駅に向かうには、まずは東京駅または新横浜駅をめざす。
- ◆新幹線を利用する場合、首都圏以西なら新横浜駅を利用するのが近い。

RECOMMENDED ACCESS 各地からおすすめのアクセス

Origin 出発地		Transportation 交通機関 AIR TRAIN BUS		Operation 運行会社	Time to Destination 所要時間 TIME	Normal Fare 通常運賃 PRICE	Frequency 便数
札幌	SAPPORO	AIR	新千歳ー羽田	ANA／JAL／ADO／SKY	1時間40分	￥47,490	毎時2~7便
仙台	SENDAI	TRAIN	仙台ー東京	はやぶさ	1時間30～35分	￥11,410※	毎時1~4本
名古屋	NAGOYA	TRAIN	名古屋ー新横浜	のぞみ	1時間15分	￥10,640	毎時2~11本
大阪	OSAKA	TRAIN	新大阪ー新横浜	のぞみ	2時間5分	￥14,390	毎時4~11本
福岡	FUKUOKA	AIR	福岡ー羽田	ANA／JAL／SKY／SFJ	1時間30分	￥51,850	毎時2~5便

※「やまびこ」は￥11,090

ARRIVAL

［首都圏からのアクセス］

ココだけはおさえたい！ **Key Point**

- ◆横浜観光にはみなとみらい線を利用するのが基本。
- ◆羽田空港からは横浜駅直結のリムジンバスも運行。

CHECK!

知っておきたいコト

東京駅からならJR線で乗り換えなしで横浜駅まで到着できる。新幹線を利用して新横浜駅に到着した場合は、JR横浜線または横浜市営地下鉄ブルーラインで横浜駅まで行き、みなとみらい線に乗り換えるのがベター。みなとみらい、山下公園・馬車道、横浜中華街、山手・元町の各エリアはみなとみらい線が沿うように通っているので、どこに行くにもアクセス抜群！ みなとみらい線沿線を活動の拠点にしておくのがおすすめ。

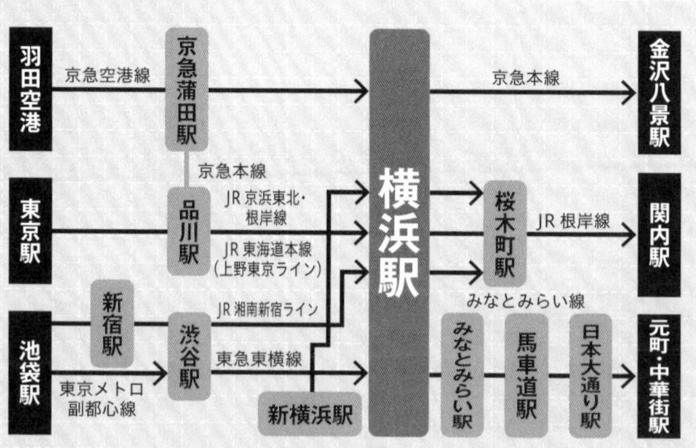

記載の内容は2024年1月の情報です。ダイヤ改正や運賃改定などにより変更になる場合がありますので、お出かけの際には事前にご確認ください。ANA・JALと路線が重複するADO・SKYは、記載の料金よりも割安になります。新幹線の料金は通常期の片道、普通車指定料金です。夏休みなどの繁忙期は料金が異なることがあります。

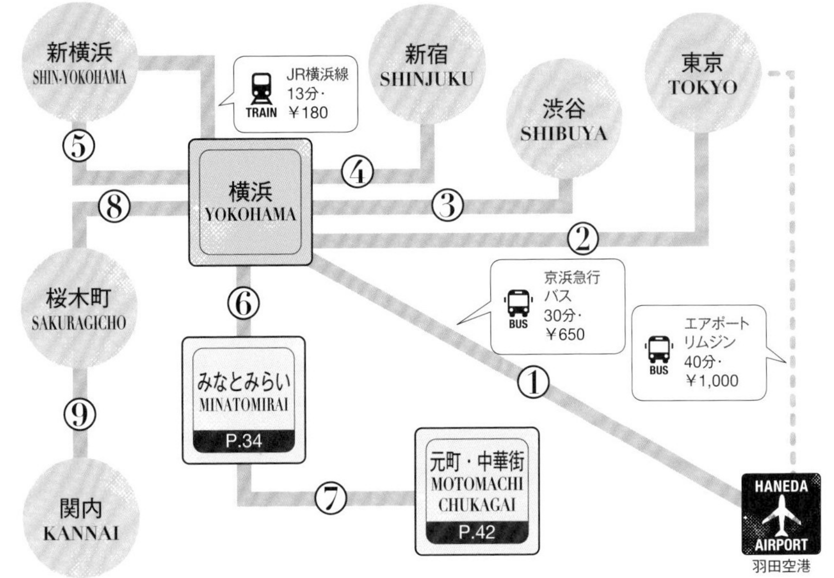

みなとみらいへ行く

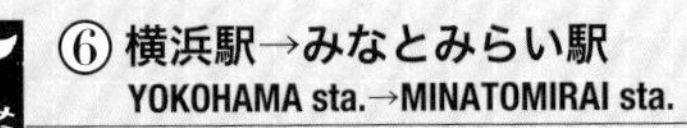

⑥ 横浜駅→みなとみらい駅
YOKOHAMA sta.→MINATOMIRAI sta.

TRAIN 電車(みなとみらい線) **3分・¥200**

▶横浜駅→みなとみらい駅
▶日中1時間に16本程度

中華街へ行く

⑦ 横浜駅→元町・中華街駅
YOKOHAMA sta.→MOTOMACHI CHUKAGAI sta.

TRAIN 電車(みなとみらい線) **9分・¥230**

▶横浜駅→元町・中華街駅
▶日中1時間に8本程度(急行・特急)

桜木町へ行く

⑧ 横浜駅→桜木町駅
YOKOHAMA sta.→SAKURAGICHO sta.

TRAIN 電車(JR根岸線) **3分・¥150**

▶横浜駅→桜木町駅
▶日中1時間に16本程度

関内へ行く

⑨ 横浜駅→関内駅
YOKOHAMA sta.→KANNAI sta.

TRAIN 電車(JR根岸線) **5分・¥150**

▶横浜駅→関内駅
▶日中1時間に13本程度

横浜へ行く

① 羽田空港→横浜駅
HANEDA AIRPORT→YOKOHAMA sta.

TRAIN 電車(京浜急行線) **30分・¥400**

▶羽田空港第1・第2ターミナル→〈京急空港線快特など〉横浜駅
▶日中1時間に5～6本程度

② 東京駅→横浜駅 TOKYO sta. →YOKOHAMA sta.

TRAIN 電車(JR東海道本線ほか) **25分・¥490**

▶東京駅→横浜駅
▶日中1時間に7～8本程度

③ 渋谷駅→横浜駅
SHIBUYA sta. →YOKOHAMA sta.

TRAIN 電車(東急東横線) **27分・¥310**

▶渋谷駅→〈東急東横線Fライナーなど〉横浜駅
▶日中1時間に18本程度(Fライナー・急行は1時間に8本程度)

④ 新宿駅→横浜駅 SHINJUKU sta.→YOKOHAMA sta.

TRAIN 電車(JR湘南新宿ライン) **33分・¥580**

▶新宿駅→〈JR湘南新宿ライン快速〉→横浜駅
▶日中1時間に4本程度(特別快速、普通もあり)

⑤ 新横浜駅→横浜駅
SHIN-YOKOHAMA sta.→YOKOHAMA sta.

TRAIN 電車(横浜市営地下鉄ブルーライン) **12分・¥250**

▶新横浜駅→横浜駅
▶日中1時間に10本程度

ACCESS GUIDE 交通ガイド

CONVENIENT VEHICLES

［横浜での便利な乗り物］

ココだけはおさえたい！ **Key Point**

◆横浜観光の移動はみなとみらい線が基本。
◆観光系の周遊バスが便利！
◆横浜ならではの海上バスも活用しよう！

みなとみらい線

TRAIN

横浜のメインとなる観光地はみなとみらい線沿いに集まっており、各駅からどこも近く便利。

横浜市営地下鉄ブルーライン

TRAIN

新横浜駅から直通しており、横浜駅から桜木町駅、関内駅方面は横浜市営地下鉄でも行ける。

海上バス

SHIP

海が近い横浜では、シーバスなどの海上観光が楽しめる海上バスが人気。こちらも予約不要で乗船できる。

JR根岸線

TRAIN

桜木町駅や関内駅方面へはJRを使うのがおすすめ。横浜スタジアムへは関内駅から、石川町や山手方面へはJR石川町駅がベター。

観光系市営バス

BUS

横浜中心部の主要観光スポットをつなぐように走る予約不要の観光系のバスが便利。何度も乗り降りするなら1日乗車券がお得。

・観光スポット周遊バスあかいくつ
・ぶらり観光SAN路線
・ベイサイドブルー

»付録P.17をチェック！

エコに楽しむ乗り物

効率よく楽しくまわれる移動手段。みなとみらいや馬車道エリアは平坦な道が多く、自転車での移動がおすすめ。

シェアサイクル

横浜都心部コミュニティサイクル baybike

よこはまとしんぶコミュニティサイクルベイバイク

横浜中心部に設置されているサイクルポートを利用したシェアサイクルシステム。電動アシスト付で移動もラクラク！

0570-783-677
休 無休
24時間（一部のポートは異なる）
¥ 1回30分165円～※登録料無料／携帯電話、PCから登録可
HP https://docomo-cycle.jp/yokohama/

自転車タクシー

シクロポリタン

三輪自転車タクシー「シクロ」と「メトロポリタン（市民）」をかけ合わせた次世代の環境配慮型タクシー。

045-228-3380（シクロポリタン横浜）
休 悪天候時
10:00～21:00
¥ 初乗り400円、定められた地点（ポイント）を通過するごとに100円を加算
HP https://cyclopolitain.jp/

人力車

横濱おもてなし家

よこはまおもてなしや

中華街や山下公園、赤レンガ倉庫などを人力車でまわる。ベテラン俥夫による横浜の観光ガイドも魅力！

045-622-8146 休 不定休
11:00～20:00（予約の際は10:00～可）
※天候、季節により変動あり
¥ 2名乗車で1名10分1,000円
乗り場:横浜市中区山下町164
HP http://yokohama-jinrikisha.com/

海上さんぽを楽しむ

海が近い横浜ならではの海上さんぽが体験できる。海上バス「シーバス」や水陸両用バス「スカイダック横浜」がおすすめ。

シーバス

横浜駅東口から、横浜赤レンガ倉庫などを結ぶ海上バス。海上からベイエリアの名所を眺めながら、次の観光スポットへ！

050-1790-7606（ポートサービス）
休 無休 横浜駅東口発10:10～18:10
¥ 500円～※山下公園航路は現在休止中

»P.99

スカイダック横浜

スカイダックよこはま

陸上と海上をまたいで走る。陸路で横浜三塔や横浜赤レンガ倉庫をめぐったあと、海に入り約40分の遊覧を満喫！

03-3215-0008（スカイバスコールセンター）
休 水曜（天候や風、海の状態により運休の場合あり）
日本丸メモリアルパーク発10:30、12:00、14:00、15:30※最新の時刻はホームページで要確認
¥ 3,600円 HP https://www.skybus.jp/ »P.99

★TRAVEL TIPS★

[お得なきっぷはコレ]

市営地下鉄１日乗車券

大人 ¥740　小人 ¥370

横浜市営地下鉄（ブルーライン、グリーンライン）全線に1日乗り降り自由。使用する日に駅の券売機で購入する磁気券などがある。

※アプリでも購入可能

発売場所

磁気券（発売当日限り有効）:市営地下鉄全駅の自動券売機
紙券（障がい者等割引1日乗車券）:市営地下鉄全駅の駅事務室・案内所

みなとぶらりチケット

大人 ¥500　小人 ¥250

横浜市営地下鉄横浜～伊勢佐木長者町駅と、みなとみらい・山下公園・元町・山手周辺指定区間の横浜市営バスが1日乗り降り自由。チケット提示で約80の施設で割引などの特典あり。新横浜駅でも乗り降りできるみなとぶらりチケットワイド（大人¥550、小人¥280）もある。

発売場所

フリー区間内の横浜市営地下鉄各駅（みなとぶらりチケットワイドは新横浜駅でも発売）、桜木町駅観光案内所、市内主要ホテルなど

ヨコハマ・みなとみらいパス

おとな ¥530　こども ¥260

JR京浜東北・根岸線横浜～新杉田駅の普通列車（快速含む）普通車自由席とみなとみらい線全線に乗り降り自由。横浜エリアの観光やショッピングに便利。※2024年1月現在

発売箇所

JR京浜東北・根岸線「横浜～新杉田」各駅の指定席券売機、みどりの窓口など

みなとみらい線一日乗車券

大人 ¥460　小人 ¥230

みなとみらい線全線に1日乗り放題。1日でみなとみらい線（横浜～元町・中華街間）を3回以上乗るとお得に！ 東急線往復がセットになったみなとみらいチケットもある。

発売場所

みなとみらい線各駅の自動券売機　横浜駅を除くみなとみらい線各駅の事務室 みなとみらいチケットは横浜駅と世田谷線各駅・こどもの国線各駅を除く東急線各駅の自動券売機

市営地下鉄・バス共通１日乗車券

大人 ¥830　小人 ¥420

横浜市営地下鉄1日乗車券と横浜市営バス1日乗車券の合体版。深夜バス乗車の際は別途運賃が必要（IC：大人¥216、小人¥108／現金：¥大人220、小人¥110）。

※アプリでも購入可能

発売場所

磁気券（発売当日限り有効）:市営地下鉄全駅の自動券売機
紙券（障がい者等割引1日乗車券）:市営地下鉄全駅の駅事務室・案内所、お客様サービスセンター、市営バス定期券発売所・営業所

市営バス１日乗車券

大人 ¥600　小人 ¥300

横浜市営バス全線が1日乗り降り自由。深夜バス乗車の際は別途運賃が必要（IC：大人¥216、小人¥108／現金：大人¥220、小人¥110）。

※アプリでも購入可能

発売場所

IC（発売当日限り有効）:市営バス車内
紙券（障がい者等割引1日乗車券）:湘南台・下飯田・立場・中田・踊場を除く市営地下鉄の駅事務室・案内所、お客様サービスセンター、市営バス定期券発売所・営業所

おいしいグルメ付も！

横濱中華街・旅グルメきっぷ

東急線内発 大人 ¥3,300　小人 ¥2,200

東急線1日乗車券、みなとみらい線1日乗車券、横浜中華街の食事券の3つがセットになったきっぷ。食事券は対象店舗で利用可能。中華街を中心とした観光をする場合にはとてもお得なきっぷ。

発売場所

東急線各駅の窓口（こどもの国線、世田谷線の各駅を除く）

Where are you going?

INDEX
横浜
YOKOHAMA

あ

か

さ

た

●Discovery ●Gourmet ●Shopping ●Experience ●Healing

Travel Photos

have a nice trip

COLOR PLUS
カラープラス

横浜

Director
昭文社編集部

Editor
タスクフォース

Editorial staff
タスクフォース

Photogragh
アーク・フォト・ワークス
岩田伸久、大島彩、片桐圭、熊坂勉、
小池彩子、野田真、千葉英里、
タスクフォース
昭文社編集部(保志俊平)
PIXTA

Art direction
GRAPHIC WAVE

Design
参画社

Illustration
参画社

Cover design
ARENSKI(本木陽子)

Character design
shino

Map design
yデザイン研究所(山賀貞治)

Map
田川企画(田川英信)

DTP
タスクフォース

Proofreading
三和オー・エフ・イー
五十嵐重寛

Special thanks to
関係各市区観光課
観光協会
関係諸施設
取材ご協力の皆さん

2024年4月1日 2版1刷発行
発行人 川村哲也
発行所 昭文社
本社:〒102-8238 東京都千代田区麹町3-1

0570-002060(ナビダイヤル)
IP電話などをご利用の場合は 03-3556-8132
※平日9:00~17:00(年末年始、弊社休業日を除く)
ホームページ:https://www.mapple.co.jp/

COLOR PLUS シリーズ

○札幌 小樽 美瑛 富良野
○函館
○仙台 松島
○日光 那須 宇都宮
○東京
○横浜
○鎌倉 江の島 逗子 葉山
○箱根
○伊豆 熱海
○草津 伊香保 四万 みなかみ
○軽井沢
○安曇野 松本 上高地
○金沢 能登
○飛騨高山 白川郷
○伊勢神宮 志摩
○京都
○大阪
○神戸
○奈良
○出雲大社 松江 石見銀山
○広島 宮島 厳島神社
○瀬戸内の島々 尾道 倉敷
○福岡 糸島
○長崎 ハウステンボス 五島列島
○沖縄 ケラマ諸島
○石垣島 竹富・西表・宮古島

…and more!

■本書ご利用にあたって
●掲載のデータは、2023年12月~2024年2月の時点のものです。変更される場合がありますので、ご利用の際は事前にご確認ください。諸税の見直しにより各種料金が変更される可能性があります。そのため施設により税別で料金を表示している場合があります。なお、感染症に関連した各施設の対応・対策により、営業日や営業時間の変更、開業日の変更、公共交通機関の運行予定変更などが想定されます。おでかけになる際は、あらかじめ各イベントや施設の公式ホームページ、また各自治体のホームページなどで最新の情報をご確認ください。また、本書で掲載された内容により生じたトラブルや損害等については、弊社では補償いたしかねますので、あらかじめご了承のうえ、ご利用ください。
●電話番号は、各施設の問い合わせ用番号のため、現地の番号ではない場合があります。カーナビ等での位置検索では、実際とは異なる場所を示す場合がありますので、ご注意ください。
●休業日は、定休日のみ表示し、臨時休業、お盆や年末年始の休みは除いています。
●開館時間・営業時間は、入館締切までの時刻、またはラストオーダーまでの時刻を基本にしています。
●料金について、入場料などは、大人料金を基本にしています。
●交通は、主要手段と目安の所要時間を表示しています。ICカード利用時には運賃・料金が異なる場合があります。
●駐車場は、有料・無料を問わず、駐車場がある場合は台数を表示しています。
●本書掲載の地図について
測量法に基づく国土地理院長承認(使用)R 5JHs 14-136480 R 5JHs 15-136480 R 5JHs 16-136480 R 5JHs 17-136480

※乱丁・落丁本はお取替えいたします。許可なく転載・複製することを禁じます。
©Shobunsha Publications,Inc.2024.4 ISBN 978-4-398-13648-0 定価は表紙に表示してあります。

COLOR PLUS
YOKOHAMA

MAP & TRANSPORT

I'll take you anywhere you want!

icon
…GOURMET …DISCOVERY
…SHOPPING …HEALING
…EXPERIENCE
C…コンビニ R…レストラン S…スーパー

©Shobunsha Publications,Inc.
許可なく転載、複製することを禁じます。

●付録冊子掲載の地図について
測量法に基づく国土地理院長承認（使用）R 5JHs 14-136480 R 5JHs 15-136480 R 5JHs 16-136480 R 5JHs 17-136480

東京都
町田市
新百合ヶ丘駅
溝の口駅
あざみ野
東名川崎IC
宮前区
玉川学園前
こどもの国
小田急小田原線
横浜高速鉄道こどもの国線
江田
市ヶ尾
荏田
青葉区
橋本駅
旭町
市が尾
八王子
恩田
鶴野森
町田
東急田園都市線
青葉台
藤が丘
横浜青葉
都筑PA
都筑区
都筑
成瀬
相模原市
相模大野
長津田
田奈
港北PA
南区
つくし野
十日市場
東林間
すずかけ台
東名高速道路
横浜線
緑区
中山
港北
横浜港北Jct
鴨居
小田急相模原
小田急江ノ島線
中央林間
つきみ野
南町田グランベリーパーク
横浜町田
崎陽軒横浜工場
P.116
第三京浜道路
相武台前
上川井
ズーラシア
南林間
鶴間
座間市
大和市
保土ヶ谷バイパス
神奈川県
羽沢
海老名駅
羽沢横浜国大
鶴ヶ峰
旭区
保土ケ谷PA
保土ヶ谷
下川井
本村
西谷
上星川
和田町
相模大塚
さがみ野
大和
相鉄本線
瀬谷
三ツ境
二俣川
南本宿
新桜ヶ丘
保土ケ谷区
星川
かしわ台
瀬谷区
希望ヶ丘
南万騎が原
藤塚
横浜新道
桜ケ丘
厚木IC
綾瀬スマートIC
新保土ヶ谷
東海道本線
綾瀬市
今井
狩場
緑園都市
井土ヶ谷
海老名市
高座渋谷
相鉄いずみ野線
川上IC
東戸塚
南区
いずみ野
弥生台
弘明寺
東海道新幹線
上矢部IC
泉区
長後街道
京急本線
長後
いずみ中央
別所
上大岡
ゆめが丘
戸塚区
港南区
小田原駅
矢沢
戸塚
横浜横須賀道路
湘南台
日野
六会日大前
原宿
洋光台
藤沢市
根岸線
港南台
本郷台
栄区
港南台
善行
茅ヶ崎中央IC
大船
釜利谷Jct
北茅ヶ崎
新湘南バイパス
藤沢
藤沢本町
鎌倉市
茅ヶ崎市
藤沢橋
湘南モノレール
富士見町
横須賀線
辻堂
東海道本線
相模線
藤沢
北鎌倉
円覚寺
茅ケ崎
本鵠沼
東慶寺
建長寺
石上
江ノ島電鉄
湘南江の島駅
湘南町屋
朝比奈
平塚駅
片瀬江ノ島駅
柳小路
江ノ島駅
湘南深沢
鎌倉駅
鶴岡八幡宮
逗子IC
A
B
1
2
3
4

京浜川崎IC
武蔵小杉駅
品川駅
向河原
高津区
元住吉
中原区
下丸子
武蔵新田
池上
蓮沼
品川駅
大森町
浜崎橋Jct
昭和島
大井Jct
梅屋敷
蒲田
京急蒲田
大田区
羽田空港(東京国際空港)
羽田空港第2ターミナル
羽田空港第1ターミナル
東京都
平間
矢口渡
川崎市
日吉
鹿島田
京急空港線
整備場
糀谷
大鳥居
穴守稲荷
天空橋
羽田空港第3ターミナル
羽田空港第1・第2ターミナル
東急東横線
東海道新幹線
綱島街道
新川崎
南武線
横須賀線
東海道本線
京急本線
雑色
遠藤町
新整備場
綱島
新綱島
矢向
幸区
六郷土手
京急大師線
多摩川
港北区
尻手
川崎
京急川崎
港町
鈴木町
川崎大師
東門前
大師橋
小島新田
首都高速川崎線
大倉山
八丁畷
川崎区
首都高速横北線
三ツ池公園
森永エンゼルミュージアム MORIUM P.106
鶴見区
川崎新町
小田栄
鶴見市場
菊名
鶴見
京急鶴見
首都高速横羽線
浜川崎
昭和
川崎浮島Jct
東京湾アクアライン
新横浜
横浜線
総持寺
花月総持寺
国道
武蔵白石
扇町
木更津Jct
妙蓮寺
鶴見線
安善
浅野
大川
川崎港
大口
生麦
鶴見小野
弁天橋
新芝浦
白楽
新子安
海芝浦
首都高速湾岸線
・ミトロン P.87
京急新子安
東白楽
子安
キリンビール 横浜工場 P.107
扇島
神奈川新町
東神奈川
京急東神奈川
神奈川
横浜港
新高島
大黒PA
みなとみらい
みなとみらい
横浜ランドマークタワー
横浜ベイブリッジ
戸部
桜木町
馬車道
横浜中心部 付録4
日本大通り
関内
元町・中華街
石川町
港の見える丘公園
バラ
横浜市
根岸線
山手
中区
馬の博物館
根岸
三溪園
東京湾
磯子
磯子区
新杉田
ACCESS NAVI
羽田空港 → 横浜駅
30分
25分
横浜駅 → 八景島駅
30分
40分
※おおよその時間を表示
金沢シーサイドライン
京急富岡
並木中央
並木
能見台
称名寺
金沢
金沢文庫
八景島
横浜・八景島シーパラダイス P.110
0
3km
N
海の公園
横須賀中央駅
1
2
3
4
C
D

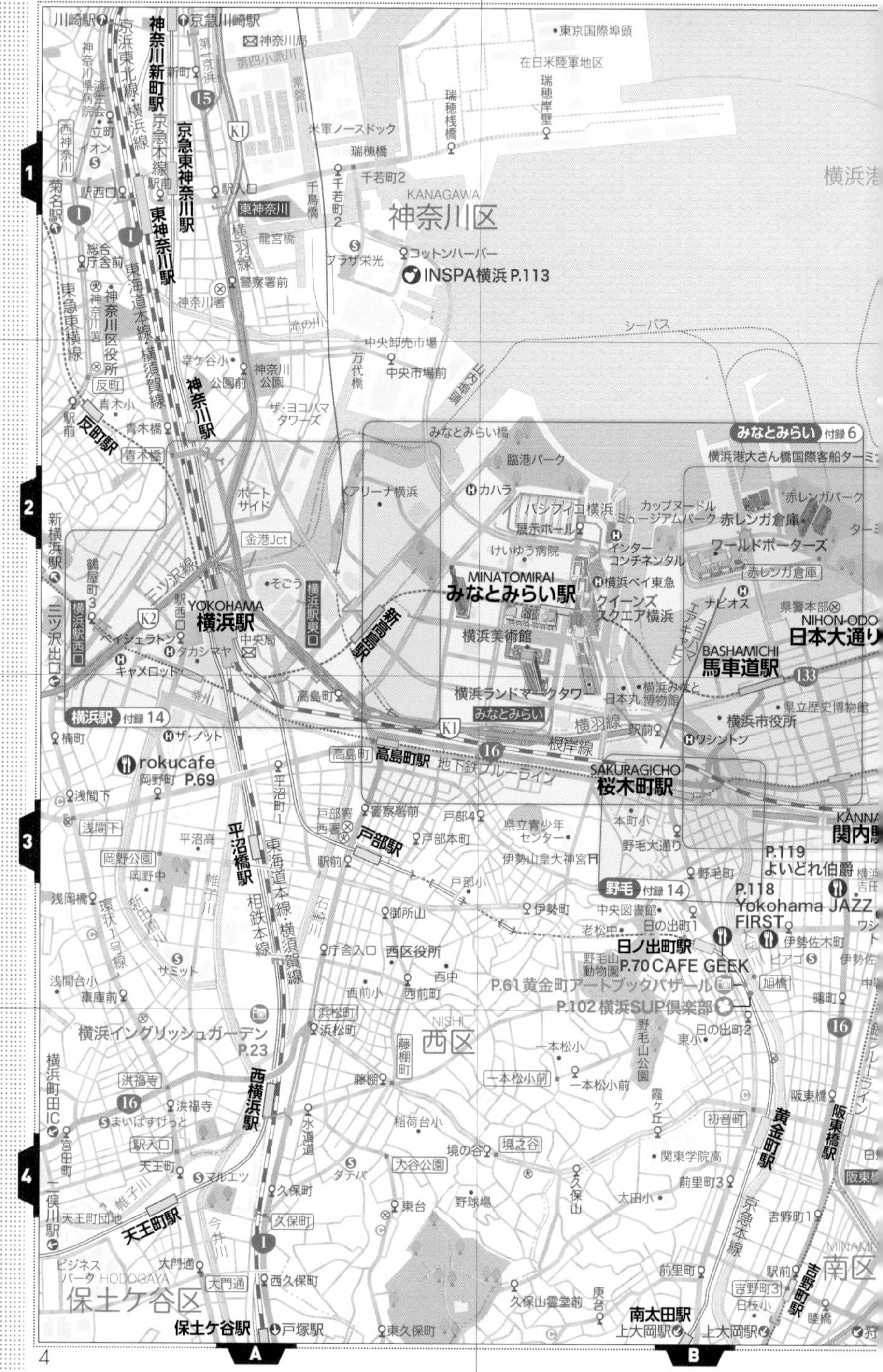

川崎駅
京急川崎駅
神奈川新町駅
京急東神奈川駅
東神奈川駅
神奈川局
東京国際埠頭
在日米陸軍地区
瑞穂桟橋
瑞穂岸壁
米軍ノースドック
瑞穂橋
千若町2
横浜港
KANAGAWA
神奈川区
東神奈川
龍宮橋
プラザ栄光
コットンハーバー
INSPA横浜 P.113
警察署前
神奈川署
東急東横線
神奈川区役所
シーバス
中央卸売市場
中央市場前
万代橋
神奈川駅
神奈川公園
公園前
幸ケ谷小
ザ・ヨコハマタワーズ
反町
反町駅
青木橋
みなとみらい橋
臨港パーク
みなとみらい 付録6
横浜港大さん橋国際客船ターミナル
ポートサイド
Kアリーナ横浜
カハラ
パシフィコ横浜
展示ホール
カップヌードルミュージアムパーク
赤レンガパーク
赤レンガ倉庫
ワールドポーターズ
新横浜駅
金港Jct
けいゆう病院
インターコンチネンタル
横浜ベイ東急
そごう
横浜駅東口
MINATOMIRAI
みなとみらい駅
クイーンズスクエア横浜
ナビオス
県警本部
NIHON-ODORI
日本大通り
横浜駅西口
YOKOHAMA
横浜駅
中央局
新高島駅
横浜美術館
BASHAMICHI
馬車道駅
ベイシェラトン
タカシマヤ
キャメロット
高島町
横浜ランドマークタワー
横浜みなと博物館
日本丸
県立歴史博物館
横浜市役所
横浜駅 付録14
みなとみらい
ザ・ノット
楠町
横羽線
根岸線
駅前
ワシントン
rokucafe
P.69
岡野町
高島町駅
地下鉄ブルーライン
SAKURAGICHO
桜木町駅
浅間下
平沼町1
戸部署
西署
警察署前
戸部4
県立青少年センター
本町小
野毛大通り
KANNAI
関内駅
平沼高
平沼橋駅
戸部駅
戸部本町
伊勢山皇大神宮
岡野公園
岡野中
駅前
戸部小
野毛町
野毛 付録14
P.119
よいどれ伯爵
P.118
Yokohama JAZZ FIRST
浅岡橋
環状1号線
新田間川
帷子川
相鉄本線
東海道本線・横須賀線
石崎川
御所山
伊勢町
中央図書館
老松中
日の出町1
日ノ出町駅
伊勢佐木町
庁舎入口
西区役所
野毛山動物園
P.70 CAFE GEEK
ピアゴ
旭橋
サミット
浅間台小
西中
P.61 黄金町アートブックバザール
車庫前
西前小
西前町
P.102 横浜SUP倶楽部
横浜イングリッシュガーデン
P.23
浜松町
NISHI
西区
日の出町2
野毛山公園
東小
藤棚町
一本松小
横浜町田IC
浜福寺
西横浜駅
藤棚
一本松小前
阪東橋
洪福寺
まいばすけっと
稲荷台小
霞ケ丘
初音町
宮田町
駅入口
水道道
黄金町駅
阪東橋駅
境の谷
境之谷
関東学院高
天王町
マルエツ
タテバ
大谷公園
二俣川
久保町
久保山
前里町3
太田小
天王町団地
天王町駅
東台
野球場
京急本線
吉野町1
今井川
MINAMI
ビジネスパーク
HODOGAYA
大門通
西久保町
前里町
駅前
吉野町駅
南区
保土ケ谷区
吉野町3
久保山霊堂前
庚台
日枝小
保土ケ谷駅
戸塚駅
東久保町
南太田駅
上大岡駅
睦橋

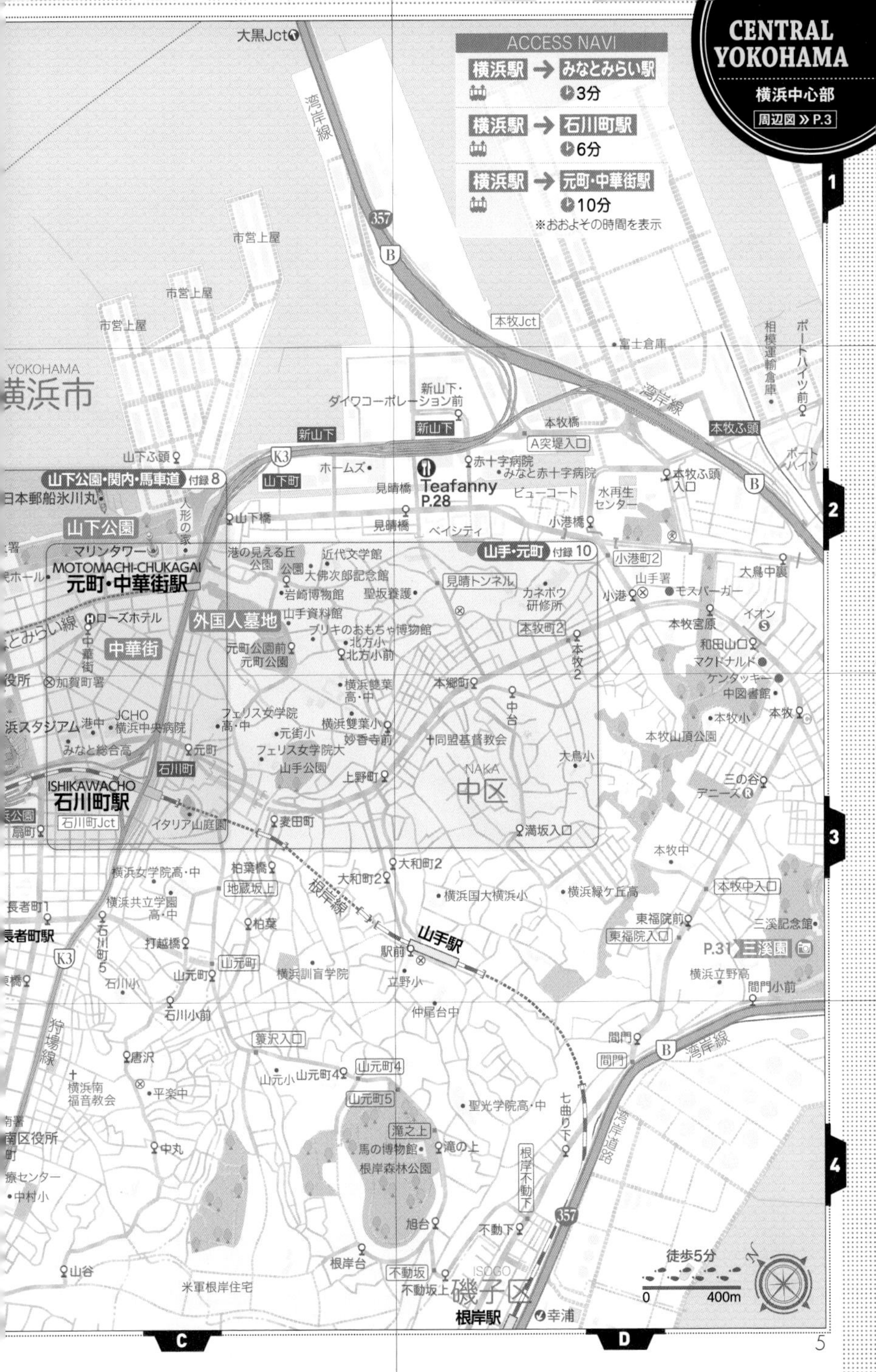
ACCESS NAVI
横浜駅 → みなとみらい駅
3分
横浜駅 → 石川町駅
6分
横浜駅 → 元町・中華街駅
10分
※おおよその時間を表示
大黒Jct
湾岸線
市営上屋
YOKOHAMA
横浜市
本牧Jct
富士倉庫
相模運輸倉庫
ポートハイツ前
新山下・ダイワコーポレーション前
新山下
本牧橋
A突堤入口
本牧ふ頭
山下ふ頭
山下公園・関内・馬車道 付録8
ホームズ
山下町
赤十字病院
みなと赤十字病院
本牧ふ頭入口
ポートハイツ
日本郵船氷川丸
人形の家
見晴橋
Teafanny P.28
ビューコート
水再生センター
山下公園
山下橋
ベイシティ
小港橋
マリンタワー
港の見える丘公園
近代文学館
山手・元町 付録10
小港町2
大鳥中裏
MOTOMACHI-CHUKAGAI
元町・中華街駅
大佛次郎記念館
見晴トンネル
山手署
岩崎博物館
聖坂養護
カネボウ研修所
小港
モスバーガー
ローズホテル
外国人墓地
山手資料館
イオン
ブリキのおもちゃ博物館
本牧町2
本牧宮原
中華街
北方小
和田山口
元町公園前
元町公園
北方小前
本牧2
マクドナルド
加賀町署
本郷町
ケンタッキー
横浜雙葉高・中
中国書館
JCHO横浜中央病院
フェリス女学院高・中
中台
本牧小
本牧
港中
元街小
横浜雙葉小
妙香寺前
本牧山頂公園
みなと総合高
元町
同盟基督教会
フェリス女学院大
山手公園
大鳥小
石川町
NAKA
中区
三の谷
ISHIKAWACHO
石川町駅
上野町
デニーズ
石川町Jct
イタリア山庭園
麦田町
満坂入口
大和町2
本牧中
横浜女学院高・中
柏葉橋
地蔵坂上
本牧中入口
根岸線
横浜国大横浜小
横浜緑ケ丘高
長者町1
横浜共立学園高・中
東福院前
三溪記念館
石川町5
柏葉
東福院入口
打越橋
山手駅
P.31 三溪園
駅前
山元町
横浜訓盲学院
横浜立野高
石川小
立野小
間門小前
石川小前
仲尾台中
狩場線
簑沢入口
間門
唐沢
山元町4
山元町4
横浜南福音教会
平楽中
山元小
山元町5
聖光学院高・中
七曲り下
滝之上
湾岸道路
馬の博物館
滝の上
中丸
根岸森林公園
根岸不動下
中村小
旭台
不動下
根岸台
徒歩5分
山谷
不動坂
ISOGO
0 400m
米軍根岸住宅
不動坂上
磯子区
根岸駅
幸浦

MINATOMIRAI
みなとみらい
周辺図 » P.4
潮入りの池
臨港パーク
ふれあいショップみなと
みなとみらい橋
横浜ベイコート倶楽部
ザ・カハラ
ホールの中に幅13～19m×高さ14mのステンドグラス『星座'94横浜』がある
国立大ホ
ザ・スクエア
臨港パーク入口
パシフィコ横浜ノース
Kアリーナ
OK
展示ホール
アネックスホール
パシフィコ横浜
オーシャンタワー
展示ホール北
展示ホール
パシフィコ横浜
アーバンタワー
国際大通り
高島中央公園北
フィルミー
病院前
とちのき通り
P.75 ラウンジ「ソマーハウス」
P.74 オールデイダイニング「カフェ トスカ」
けいゆう病院
けいゆう病院
パシフィコ横浜前
アンパンマンこどもミュージアム
高島中央公園
高島中央公園南
みなとみらいホール
横浜駅 付録15へ
とちのき通り
交番入口
クイーンズスクエア
NISHI
西区
けいゆう病院
P.114 横浜ベイホテル東急
P.79 橙家
みなとみらい5
P.71 Shake Shack みなとみらい店
みなとみらいセンタービル
横浜グランゲート
横浜高速鉄道みなとみらい線
P.79 24/7 restaurant
MINATOMIRAI
みなとみらい駅
駅北
横浜メディアタワー
クイーンズスクエア横浜
新高島駅
横浜シンフォステージ
ドトール
P.95 MARK IS みなとみらい
みなとみらい東急スクエア
P.69 RHC CAFE MINATOMIRAI
駅前
グランモール
中川政七商店 マークイズみなとみらい店 P.94
P.115
横浜アイマークプレイス
横浜ロイヤルパークホテル
リーフ
湘南パンケーキ
横浜駅
駅前
横浜ブルーアベニュー
P.61 横浜トリエンナーレ
R Baker みなとみらい店 P.87
横浜美術館
P.67 横浜みなとみらい店
Merengue みなとみらい店 P.66
P.61 横浜美術館
P.40 SKY CAFE
すずかけ通り西
美術館北
スカイガーデン
横浜野村ビル
横浜ランドマークタワー
横浜歯科医療専門学校
東急REI
プライムギャラリー
P.41 みらい横丁
海鮮食飲市場 マルカミ食堂
三菱重工
いちょう通り
けやき通り
みなとみらい大通り
三菱みなとみらい技術館
みなとみらい4
みなとみらい4
ランドマークプラザ P.41
シンクロン
4丁目駐車場
JR貨物線
いちょう通り西
P.41 果実園リーベル
P.76 Bubby's ランドマークプラザ
老健施設パートケア
ウェスティン
P.41 TWG Tea
横浜駅
さくら通り
ぴあアリーナMM
K1
横羽線
みなとみらい出入口
みなとみらい出入口
高島町
高島町
16
桜木町7
高島町駅
根岸線
横浜駅
八洲学園大
高島町
桜木町6
花咲橋
花咲町6
雪見橋国道側
雪見橋
木曽路
戸部7
花咲ビル
地下鉄ブルーライン
雪見橋
雪見橋
紅葉坂
徒歩2分
0
160m
金源ビル
ミカミビル
岩亀横丁
紅葉橋
戸部4
マルヤマ
掃部山公園
紅葉坂
1
2
3
4
A
B

P.117 崎陽軒横浜赤レンガ倉庫店
P.37 SOUVENIR GALLERY
P.37 赤レンガ[デポ]
P.37 日本百貨店あかれんが
P.37 横濱ベストコレクションクラブ
P.36 MILK MARCHÉ
P.36 à la campagne 横浜赤レンガ倉庫店
P.36 Hawaiian waffle Merengue
P.35 chano-ma
P.35 bills 横浜赤レンガ倉庫
P.35 GRANNY SMITH APPLE PIE & COFFEE
P.29 Red Brick Resort
P.31・34 横浜赤レンガ倉庫
P.98 工場夜景ジャングルクルーズ
P.98 横浜夜景ファンタスティックカフェシップ
ピア赤レンガ桟橋
シーバス
新港埠頭
横浜港
P.71 Roller Coast みなとみらい店
P.39 CAFE GRACE
P.39 COMMUNITY MILL/SODA BAR
P.39 GREENROOM
P.39 COS
P.39 Pie Holic
P.38 good spoon
P.38 MARINE & WALK YOKOHAMA
みなとみらいぷかり桟橋
ブッフェ・ダイニング オーシャンテラス P.75
ヨコハマ グランド インターコンチネンタル ホテル P.115
客船ターミナル入口
カップヌードルミュージアムパーク
赤レンガ倉庫・マリン&ウォーク
JICA横浜国際センター
P.112 横浜みなとみらい万葉倶楽部
カップヌードルミュージアム 横浜 P.108
サークルウォーク
国際橋・ミュージアム前
カップヌードルパーク入口
国際橋
P.53 象の鼻パーク
赤レンガ倉庫
新港橋
P.95 横浜ワールドポーターズ
レナーズ 横浜ワールドポーターズ店 P.77
Teddy's Bigger Burgers 横浜ワールドポーターズ店 P.77
アロハストリート P.92
GOODIES YOKOHAMA P.93・95
SARIO 聘珍茶寮 P.94
倭物やカヤ P.95
万国橋
ワールドポーターズ
運河パーク
ナビオス横浜
よこはまコスモワールド P.57
万国橋通り
萬國橋
アニヴェルセル みなとみらい横浜 P.62
アニヴェルセルカフェ P.19
県警本部
警察本部前
北仲通北第三公園
東京藝術大万国橋校舎
創造空間万国橋
(休館中)郵船博物館
海岸通2
県警本部前
相模ビル
海を渡る遊歩道で、ビル群の景色を楽しめるスポット。桜木町駅から横浜ワールドポーターズへの近道
P.88 VANILLABEANS みなとみらい本店
YOKOHAMA
横浜市
P.56 汽車道
海岸通3
海岸通4
北仲通北第二公園
共済会館
P.19 横浜港ボートパーク Hemingway Yokohama
ヨコハマエアキャビン
NAKA
中区
第二合同庁舎
横浜高速鉄道みなとみらい線
ノートルダム横浜みなとみらい
本町3
本町2
本町4
山下公園・関内・馬車道 付録8へ
日本大通り駅
柳原良平アートミュージアム P.60
横浜みなと博物館
BASHAMICHI
馬車道駅
南仲通3
横浜みなと博物館 ミュージアムショップ P.60
日本丸
本町5
ドトール
メディアビジネスセンター
桜木町駅からランドマークタワー、クイーンズスクエア横浜、みなとみらい駅、パシフィコ横浜まで通路でつながっている
ジョナサン
関内大通り
ルートイン
弁天通3
スカイダック横浜 P.122
トワイライトクルーズ P.99
神奈川県立歴史博物館 P.59
太田町3
関内桜通り
北仲橋
横浜市役所
東横イン
日本丸
横羽線
本町通り
駅前
平和プラザ
相生町3
水信フルーツパーラーラボ P.73
駅前
宇徳ビル
弁天橋
クロスゲートワシントン
大樹生命
博物館通り
馬車道
コンフォート
コレットマーレ
桜木町
桜木町駅前
関内ホール
関内ホール前
伊勢佐木長者町駅
横濱JAZZ PROMENADE P.119
歯科保健総合センター
桜木町駅入口
尾上町
アパ
シルスマリア シアル桜木町店 P.89
住吉橋
リッチモンド
サンビル
CIAL 桜木町
SAKURAGICHO
桜木町駅
大岡川
エディット
全国共済
常盤町3
寶光寺
駅前
健康福祉総合センター
桜木町2
根岸線
ニッセイビル
大江橋
マイステイズ
尾上町
尾上町5
関内駅
馬車道
ぴおシティ
桜木町1
大江橋
マクドナルド
花咲町2
桜木町駅
指路教会
ロイヤルホスト
関内駅
セルテ
野毛 付録14へ

P.71 Roller Coast みなとみらい店
P.38 good spoon
P.39 Pie Holic
P.39 CAFE GRACE
P.39 GREENROOM
P.39 COS
COMMUNITY MILL /SODA BAR P.39
P.98 工場夜景 ジャングルクルーズ
横浜夜景ファンタスティック カフェシップ P.98
MARINE & WALK YOKOHAMA P.38
P.31・52・62 横浜港大さん橋 国際客船ターミナル
P.18 cafe & dining blue terminal
P.78 インターナショナル キュイジーヌ サブゼロ
ピア赤レンガ桟橋
Red Brick Resort P.29
GRANNY SMITH APPLE PIE & COFFEE P.35
bills 横浜赤レンガ倉庫 P.35
chano-ma P.35
Hawaiian waffle Merengue P.36
à la campagne 横浜赤レンガ倉庫店 P.36
MILK MARCHÉ P.36
横濱ベストコレクションクラブ P.37
日本百貨店あかれんが P.37
赤レンガ[デポ] P.37
SOUVENIR GALLERY P.37
象の鼻パーク P.53
崎陽軒横浜赤レンガ倉庫店 P.117
展望デッキから豪華客船の入港を見ることができる。入港スケジュールは、HPで確認を
赤レンガパーク
客船ターミナル入口
赤レンガ倉庫・マリン&ウォーク
P.31・34 横浜赤レンガ倉庫
カップヌードルミュージアムパーク
JICA横浜国際センター
カップヌードルミュージアム 横浜 P.108
サークルウォーク
国際橋・ミュージアム前
P.95 横浜ワールドポーターズ
レナーズ 横浜ワールドポーターズ店 P.77
Teddy's Bigger Burgers 横浜ワールドポーターズ店 P.77
アロハストリート P.92
GOODIES YOKOHAMA P.93・95
SARIO 聘珍茶寮 P.94
倭物やカヤ P.95
万国橋
ワールドポーターズ
運河パーク
ナビオス横浜
象の鼻テラス
P.53・70 象の鼻カフェ
ZOU-SUN-MARCHE P.96
P.92 BLUE BLUE YOKOHAMA
P.96 TOAST neighborhood bakery／Kaoris
P.96 atelier-plantsplanet
P.96 chaikha
P.79 1-1&The Rooftop
横浜税関 P.59
海洋会
開港資料館前
県警本部
警察本部前
税関前
神奈川県庁本庁舎 P.59
新県庁前
萬國橋
万国橋通り
北仲通北第三公園
P.88 VANILLABEANS みなとみらい本店
創造空間万国橋
(休館中)郵船博物館
海岸通2
県警本部前
相模ビル
海岸通3
NIHON-ODORI 日本大通り駅
みなとみらい 付録7へ
ヨコハマエアキャビン
汽車道
北仲通北第二公園
海岸通4
共済会館
県庁前
本町1
横浜高速鉄道みなとみらい線
第二合同庁舎
日本大通
開港記念会館前
本町2 横浜市開港記念会館 P.58
東電
横浜三塔のひとつ「ジャック」。館内のステンドグラスは必見
ノートルダム横浜みなとみらい
みなとみらい駅
本町3
本町4
BASHAMICHI 馬車道駅
南仲通3
地裁
本町5
ジョナサン
ドトール
東横イン
みなと大通り
メディアビジネスセンター
ルートイン
関内大通り
弁天通3
P.65 Sisiliya
ベイスターズ通り
スターバックス
相生町1
P.ルミエール・ド・パリ 82
神奈川県立歴史博物館 P.59
東横イン
駅前
平和プラザ
太田町3
関内桜通り
横浜市役所
本町通り
相生町3
スカーフ会館
宇徳ビル
belle横浜
クロスゲート
ワシントン
辨天橋
大樹生命
博物館通り
馬車道
関内ホール
コンフォート
ドトール
YMCA
歯科保健総合センター
桜木町駅入口
関内ホール前
尾上町
アパ
市庁舎前
SAKURAGICHO 桜木町駅
住吉橋
リッチモンド
エディット
全国共済
常盤町3
尾上町1
市庁前
大岡川
尾上町
横浜駅
ニッセイビル
大江橋
マイステイズ
関内駅
尾上町
地下鉄ブルーライン
ぴおシティ
大江橋
尾上町5
駅前
桜木町1
馬車道
馬車道
マクドナルド
ドトール
セルテ
関内駅
桜木町駅
指路教会
ロイヤルホスト
根岸線
関内駅北口
ブリーズベイ
桜川橋北
桜川橋南
KANNAI 関内駅
リゾートカプセル
櫻川橋
横羽線
伊勢佐木町入口
モスバーガー
ダウンビート P.119
吉田町
吉田町名店街
イセザキモール
羽衣町
関内駅北口
蓬莱町
レンブラントスタイル
第一名店ビル
羽衣町
東京ガス
西公園前
都橋
BAKE ROOM P.91
羽衣町1
蓬莱町1
伊勢佐木長者町駅
万代町1
野毛 付録14へ
都橋
カトレヤプラザ
1
2
3
4
A
B

YAMASHITA PARK
KANNAI
BASHAMICHI
山下公園・関内・馬車道
周辺図 » P.5
徒歩2分
0
160m
横浜港
P.57日本郵船氷川丸
STARBOARD SHOP P.93
バラ園もある、横浜でいちばん有名な公園。毎週末は、大道芸も楽しめる
P.82 CAFÉ Elliott Avenue
山下橋
マリンタワー前
人形の家前
人形の家
メルパルク
P.23 山下公園
山下公園東口
山下公園中央口
山下公園前
県民ホール前
ニューグランド
横浜マリンタワー P.57
展望フロア P.31
マリンタワーショップ P.93
産業貿易センター前
県民ホール
大さん橋入口
山下ふ頭入口
山手迎賓館
元町入口
ジョナサン
産業貿易センター
MOTOMACHI-CHUKAGAI
元町・中華街駅
レクセンター
ルク博物館
ワークピア
中華街東門
谷戸橋
アメリカ山公園
山下町
エクスポート P.92
横浜高速鉄道みなとみらい線
ギーゴ
華僑教会
エスカル
元町プラザ
見晴坂
水町通り入口
神奈川芸術劇場・NHK
山下町
入中華街
ローズホテル
ザ コンチネンタル
県民ホール入口
芸術劇場・NHK前
招福門
エクセレントコースト
元町パセオ
代官橋
リブマックス
華正樓
横浜大世界
中華街
華正樓
大さん橋入口
JALシティ
菜香
河岸通り
報文化ンター
横浜かをり P.90
横浜媽祖廟
山下町公園
代官坂
中華街
前田橋
Alte Liebe P.62
ロイヤルホール
清風楼
K3
区役所前
萬珍樓
清香園
元町通り
加賀町警察署北
横浜博覧館
興昌
YOKOHAMA
横浜市
百段公園
本大通入口
萬珍樓
THE BAYS P.105
加賀町署
関帝廟
NAKA
中区
汐見坂
中区役所
チャイナスクエア
善隣門
市場通り
スーパー
中区役所前
金香楼
狩場線
もとまちユニオン
山手・元町 付録10へ
加賀町警察署西
浜公園
NTT東日本
大桟橋通り
付録12
横浜中華街
まいばすけっと
ダイワロイネット
厳島神社
公園
聚香閣
恵びす温泉
スミノ
港電話局裏
東横イン
港中
JCHO横浜中央病院
フェリス女学院高・中
P.104
横浜スタジアム
西の橋
元町
中央病院前
元町5東
中華街西門
吉浜橋
元町
みなと総合高
山手トンネル入口
横浜スタジアム前
横浜スタジアム前
石川町入口
坂内
根岸線
あおば
横浜スタジアム前
横浜スタジアム前
石川町駅北口
浜公園出口
横浜公園出入口
中村川
まいばすけっと
横羽線
付録10
元町
大丸谷坂
まいばすけっと
石川町Jct
ISHIKAWACHO
石川町駅
扇町公園
エルプラザ
ブラフ18番館
老町
扇町1
寿町2
イタリア山庭園
なか卯
ドナルド
新横浜通り
山手駅
関内奉斎殿
吉浜町
芝ビル
川本工業ビル
松影町2
亀之橋
亀の橋
外交官の家 P.55
バプテスト
ブラフガーデンカフェ P.55
石川町2
文化体育館前
扇町
扇町2
狩場IC
1
2
3
4
C
D

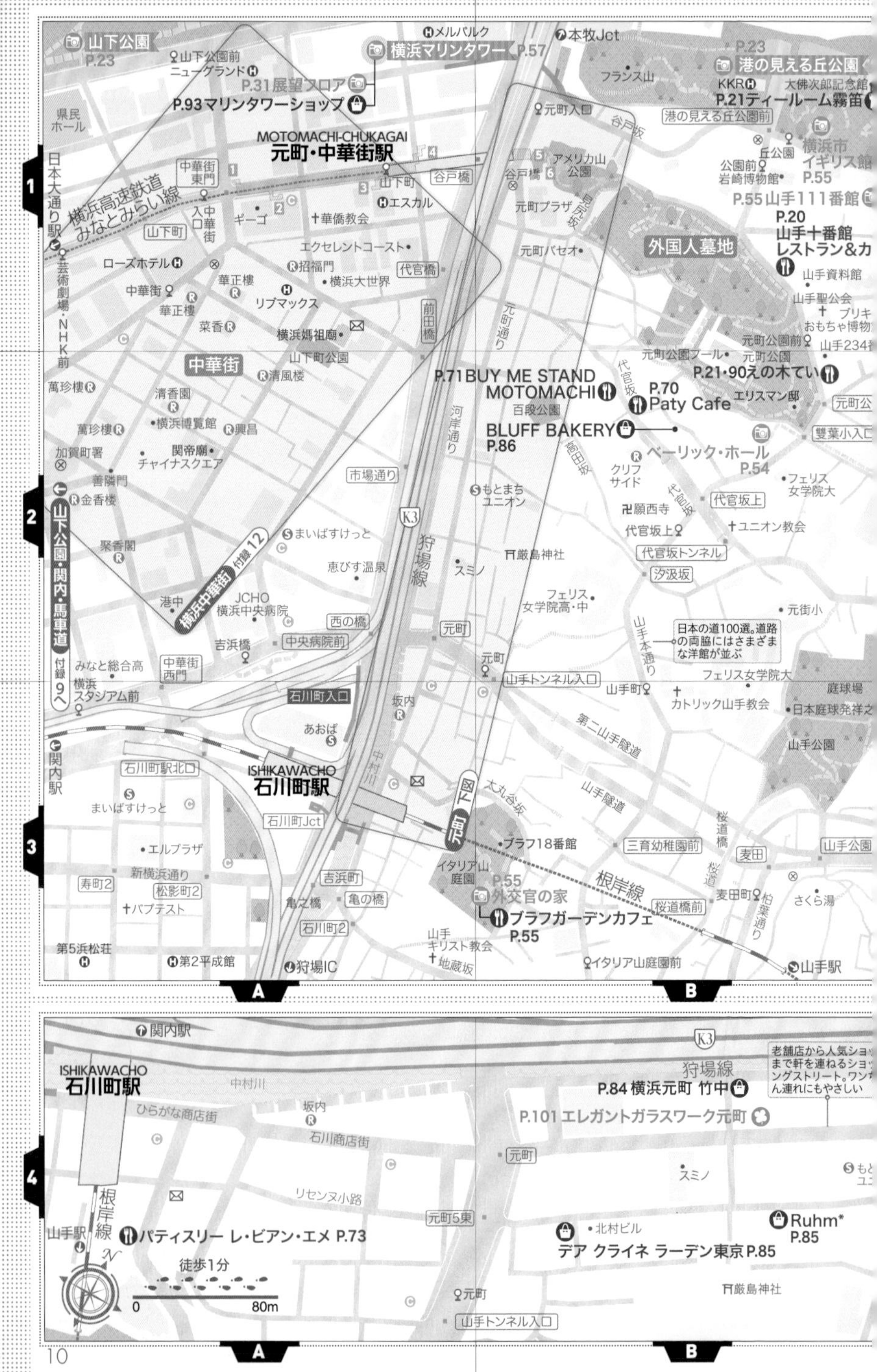
山下公園
P.23
横浜マリンタワー P.57
P.31 展望フロア
P.93 マリンタワーショップ
メルパルク
本牧Jct
港の見える丘公園
P.23
フランス山
KKR
大佛次郎記念館
P.21 ティールーム霧笛
港の見える丘公園前
横浜市イギリス館
P.55
P.55 山手111番館
P.20
山手十番館 レストラン&カ
外国人墓地
MOTOMACHI-CHUKAGAI
元町・中華街駅
山下公園前
ニューグランド
県民ホール
日本大通り駅
横浜高速鉄道 みなとみらい線
中華街東門
山下町
谷戸橋
アメリカ山公園
元町入口
谷戸坂
元町プラザ
見尻坂
元町パセオ
エスカル
華僑教会
エクセレントコースト
代官橋
招福門
横浜大世界
ローズホテル
華正樓
中華街
リブマックス
菜香
横浜媽祖廟
前田橋
山下町公園
中華街
清風楼
萬珍樓
清香園
横浜博覧館
萬珍樓
興昌
加賀町署
関帝廟
チャイナスクエア
善隣門
金香楼
聚香閣
芸術劇場・NHK前
入口中華街
ギーゴ
元町通り
河岸通り
P.71 BUY ME STAND MOTOMACHI
百段公園
P.70 Paty Cafe
BLUFF BAKERY P.86
代官坂
元町公園プール
元町公園
元町公園前
P.21・90 えの木てい
エリスマン邸
ベーリック・ホール
P.54
クリフサイド
高田坂
フェリス女学院大
山手資料館
山手聖公会
ブリキおもちゃ博物
山手234番
雙葉小入口
市場通り
もとまちユニオン
願西寺
代官坂上
ユニオン教会
代官坂トンネル
汐汲坂
まいばすけっと
恵びす温泉
狩場線
スミノ
厳島神社
フェリス女学院高・中
横浜中華街 付録12
港中
JCHO 横浜中央病院
西の橋
中央病院前
元町
元街小
日本の道100選。道路の両脇にはさまざまな洋館が並ぶ
山手本通り
吉浜橋
中華街西門
元町
山手トンネル入口
フェリス女学院大
山手町
カトリック山手教会
庭球場
日本庭球発祥之
山下公園・関内・馬車道 付録9へ
みなと総合高
横浜スタジアム前
石川町入口
坂内
あおば
第二山手隧道
山手公園
関内駅
石川町駅北口
ISHIKAWACHO
石川町駅
まいばすけっと
中村川
元町 下図
大丸谷坂
山手隧道
桜道橋
石川町Jct
エルプラザ
ブラフ18番館
三育幼稚園前
山手公園
イタリア山庭園
P.55
外交官の家
根岸線
麦田
新横浜通り
寿町2
松影町2
バプテスト
吉浜町
亀の橋
亀之橋
石川町2
ブラフガーデンカフェ P.55
桜道橋前
麦田町
柏葉通り
さくら湯
山手キリスト教会
地蔵坂
第5浜松荘
第2平成館
狩場IC
イタリア山庭園前
山手駅
関内駅
K3
老舗店から人気ショッまで軒を連ねるショッングストリート。ワンチん連れにもやさしい
ISHIKAWACHO
石川町駅
中村川
狩場線
P.84 横浜元町 竹中
ひらがな商店街
坂内
P.101 エレガントガラスワーク元町
石川商店街
元町
スミノ
もと
リセンヌ小路
元町5東
根岸線
山手駅
パティスリー レ・ビアン・エメ P.73
北村ビル
デア クライネ ラーデン東京 P.85
Ruhm* P.85
徒歩1分
0
80m
N
元町
厳島神社
山手トンネル入口
1
2
3
4
A
B

YAMATE MOTOMACHI
山手・元町
周辺図 » P.5
横浜ベイブリッジがきれいに見える絶景スポット。イングリシュローズガーデンも見どころ
このあたりは坂道が多いので、洋館めぐりは歩きやすい靴がおすすめ
横浜市
YOKOHAMA
中区
NAKA
見晴らし公園
1丁目公園
見晴隧道
聖坂
見晴トンネル
見晴通り
韓国総領事館
ロイストン教会
日本水上学園
聖坂養護
見晴交番
見晴通交番前
ロイヤル
休日急患診療所入口
大黒屋
本牧町2
本牧2
北方小
北方小前
千代崎町4
大鳥小入口
本牧町1
本牧1
見晴トンネル入口南側
ヒルマ
本郷町
ゼットワン
キリン園公園
ビヤザケ通り
ゆあそび館
上台市場前
ガス山通入口
中台
本牧教会
本郷町2
本牧通り
大島入口
本郷町1
横浜雙葉小
千代崎町
北方天神宮前
キリン園公園入口
妙香寺前
上野町2
本郷町ガス山公園
本郷町3
同盟基督教会
北方小入口
北方皇大神宮
妙香寺
元街小入口
上野町
大鳥小
ガス山通り
山手駅入口
妙香寺台入口
大和町
大和町1
観音院前
観音院
大和町1
いなり湯
大和町通り
福知稲荷
満坂入口
徒歩2分
0
160m
C
D
1
2
3
4
日本大通り駅
みなとみらい線
MOTOMACHI-CHUKAGAI
元町・中華街駅
谷戸橋
薬師堂
スターバックス
河岸通り
元町通り
FUKUZŌ
キタムラ
5
元町入口
山手迎賓館
元町プラザ
6
ラ・スピーガ
横浜市
YOKOHAMA
中区
NAKA
中通り
仏蘭西料亭
P.65 横濱元町 霧笛楼
P.86 ウチキパン
STAR JEWELRY
P.91 CAFE & Chocolatier
アメリカ山公園
見尻坂
元町パセオ
百段公園
高田坂
外国人墓地
MOTOMACHI
元町
周辺図 » 上図

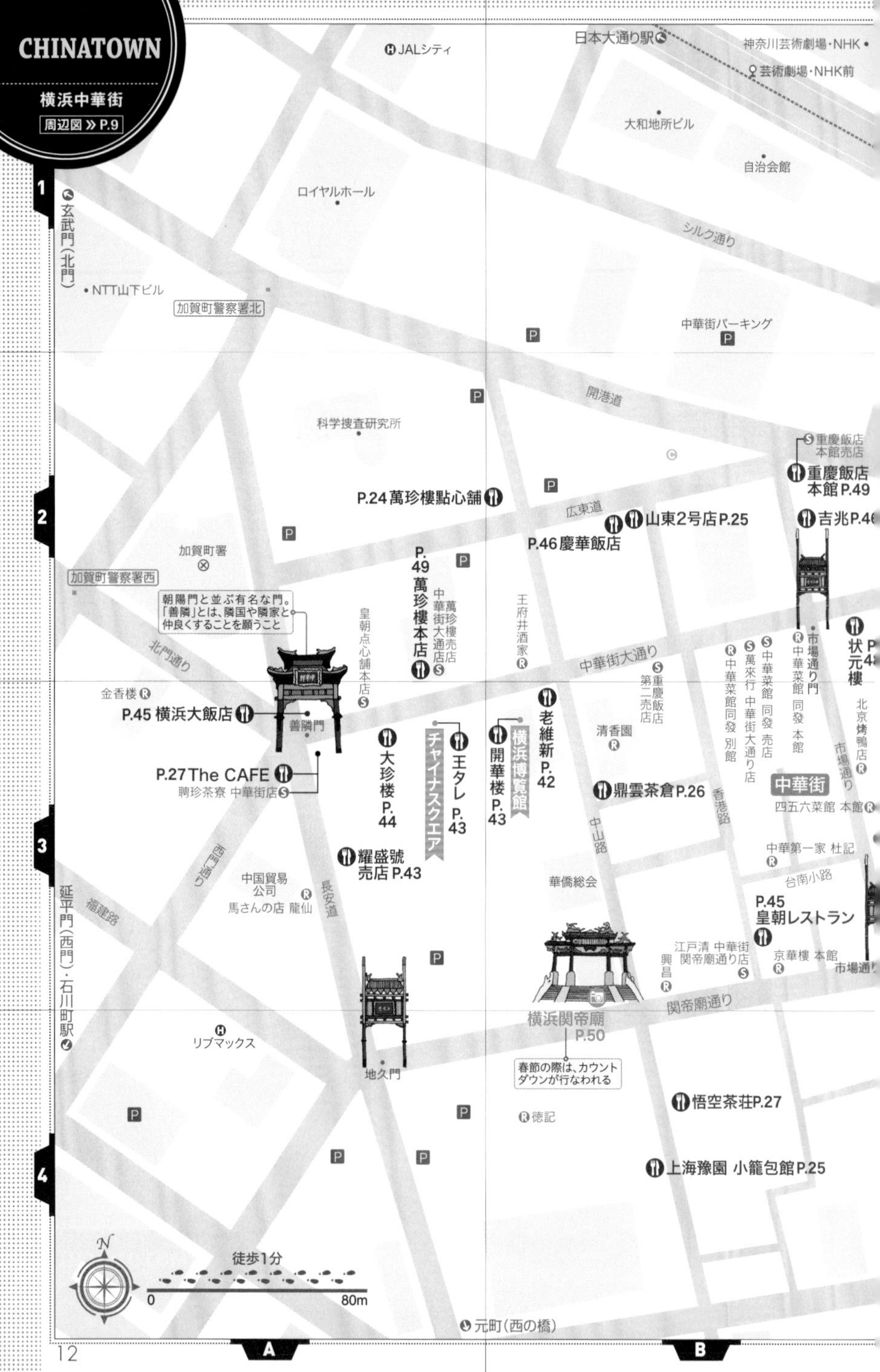
JALシティ
日本大通り駅
神奈川芸術劇場・NHK
芸術劇場・NHK前
大和地所ビル
自治会館
ロイヤルホール
玄武門(北門)
シルク通り
NTT山下ビル
加賀町警察署北
中華街パーキング
開港道
科学捜査研究所
重慶飯店 本館売店
重慶飯店 本館 P.49
P.24 萬珍樓點心舗
広東道
山東2号店 P.25
吉兆 P.46
P.46 慶華飯店
加賀町署
加賀町警察署西
P.49 萬珍樓本店
中華街大通店 萬珍樓売店
王府井酒家
朝陽門と並ぶ有名な門。「善隣」とは、隣国や隣家と仲良くすることを願うこと
皇朝点心舗本店
北門通り
中華街大通り
重慶飯店 第二売店
萬来行 中華街大通り店
中華菜館 同發 売店
中華菜館 同發 別館
中華菜館 同發 本館
市場通り門
状元樓
金香楼
P.45 横浜大飯店
善隣門
老維新 P.42
清香園
北京烤鴨店
市場通り
チャイナスクエア
王タレ P.43
大珍楼 P.44
開華楼 P.43
横浜博覧館
P.27 The CAFE
聘珍茶寮 中華街店
鼎雲茶倉 P.26
香港路
中華街
四五六菜館 本館
中山路
中華第一家 杜記
耀盛號 売店 P.43
台南小路
西門通り
中国貿易公司
馬さんの店 龍仙
長安道
福建路
華僑総会
P.45 皇朝レストラン
延平門(西門)・石川町駅
江戸清 中華街関帝廟通り店
興昌
京華樓 本館
関帝廟通り
横浜関帝廟 P.50
リブマックス
地久門
春節の際は、カウントダウンが行なわれる
悟空茶荘 P.27
徳記
上海豫園 小籠包館 P.25
N
徒歩1分
0
80m
元町(西の橋)
1
2
3
4
A
B

山下公園
ニューグランド
P.64 ザ・カフェ
山下町
横浜中華街の中でも最大の門。東に位置し、日の出を迎える門
本町通り
中華街入口
中華街東門
P.27 ブラスリー ミリーラ・フォーレ
ローズホテル横浜
横浜中華街 北京飯店
朝陽門（東門）
P.77 CAFÉ GIANG 横浜中華街店
サンマルク カフェ
東門通り
横浜高速鉄道 みなとみらい線
マルエツプチ
謝甜記 本店 P.47
ギーゴ
創価学会
重慶茶樓本店 P.45
重慶飯店 第一売店
横浜天主堂跡
ChinaTown80
鵬天閣新館 P.42
華正樓
南門シルクロード
皇朝点心舗 二号店
華僑教会
菜香新館 P.49
上海路
蘇州小路
サイゼリヤ
山下町
リブマックス
幸せのパンケーキ 横浜中華街店 P.66
MOTOMACHI-CHUKAGAI
謝甜記 貳号店
廣翔記 新館 P.47
中華街へは、この駅が便利。中華街は駅からすぐ
元町・中華街駅
エスカル
P.42 紅棉
P.47 接筵
横浜大世界
天長門
P.72 パティスリー パブロフ
東園
かわいいパンダグッズならここ
山下町公園
ぱんだや
エクセレントコースト
熊猫飯店 P.62
YOKOHAMA
横浜市
横浜媽祖廟 P.50
NAKA
中区
山下町出口
クリード
代官橋
狩場線
K3
太平道
朱雀門（南門）
石川町Jct
1
2
3
4
C
D

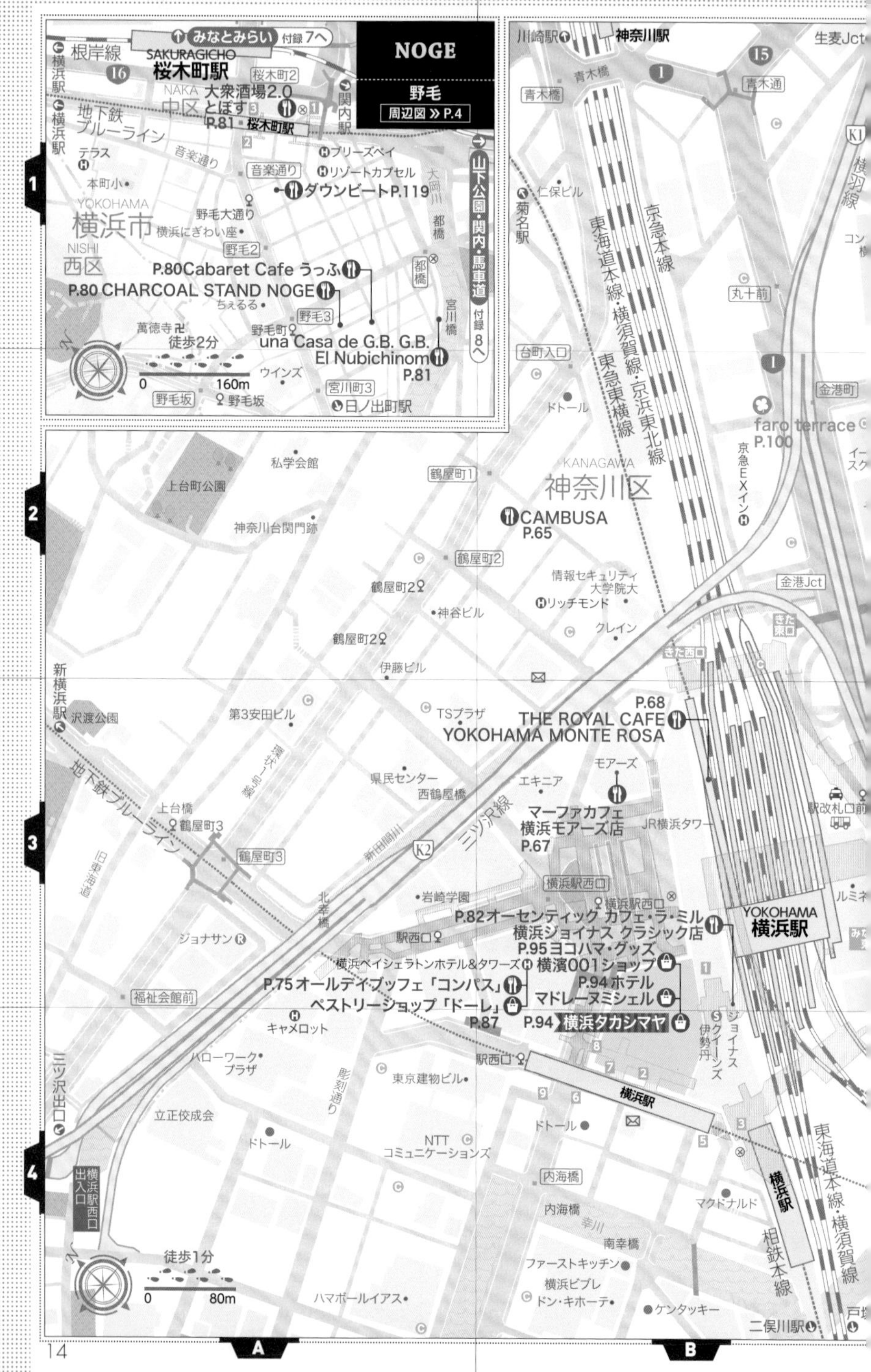
NOGE
野毛
周辺図 » P.4
みなとみらい 付録7へ
SAKURAGICHO
桜木町駅
根岸線
横浜駅
地下鉄ブルーライン
大衆酒場2.0 とぼす
P.81
桜木町駅
桜木町2
関内駅
ブリーズベイ
リゾートカプセル
音楽通り
ダウンビート P.119
YOKOHAMA
横浜市
NISHI
西区
NAKA
中区
野毛大通り
横浜にぎわい座
野毛2
P.80 Cabaret Cafe うっふ
P.80 CHARCOAL STAND NOGE
ちぇるる
野毛3
萬徳寺
徒歩2分
0
160m
野毛町
una Casa de G.B. G.B.
El Nubichinom
P.81
ウインズ
宮川町3
野毛坂
日ノ出町駅
山下公園・関内・馬車道 付録8へ
都橋
宮川橋
大岡川
テラス
本町小
川崎駅
神奈川駅
生麦Jct
青木橋
青木通
仁保ビル
菊名駅
京急本線
東海道本線・横須賀線・京浜東北線
東急東横線
丸十前
台町入口
ドトール
金港町
faro terrace P.100
京急EXイン
KANAGAWA
神奈川区
鶴屋町1
私学会館
上台町公園
神奈川台関門跡
CAMBUSA P.65
鶴屋町2
鶴屋町2
情報セキュリティ大学院大
リッチモンド
神谷ビル
クレイン
金港Jct
きた東口
きた西口
伊藤ビル
新横浜駅
沢渡公園
第3安田ビル
TSプラザ
P.68
THE ROYAL CAFE YOKOHAMA MONTE ROSA
モアーズ
県民センター
西鶴屋橋
エキニア
マーファカフェ 横浜モアーズ店 P.67
JR横浜タワー
三ツ沢線
新田間川
K2
上台橋
鶴屋町3
鶴屋町3
旧東海道
北幸橋
岩崎学園
横浜駅西口
P.82 オーセンティック カフェ・ラ・ミル 横浜ジョイナス クラシック店
YOKOHAMA
横浜駅
ジョナサン
駅西口
P.95 ヨコハマ・グッズ 横濱001ショップ
横浜ベイシェラトンホテル&タワーズ
P.75 オールデイブッフェ「コンパス」
P.94 ホテル マドレーヌミシェル
ペストリーショップ「ドーレ」 P.87
P.94 横浜タカシマヤ
福祉会館前
キャメロット
ジョイナス
クイーンズ伊勢丹
ハローワークプラザ
駅西口
東京建物ビル
彫刻通り
三ツ沢出口
立正佼成会
横浜駅
ドトール
NTTコミュニケーションズ
ドトール
内海橋
マクドナルド
東海道本線・横須賀線
横浜駅西口出入口
内海橋
幸川
南幸橋
相鉄本線
徒歩1分
0
80m
ファーストキッチン
横浜ビブレ
ドン・キホーテ
ハマボールイアス
ケンタッキー
二俣川駅
ルミネ
駅改札口前
1
2
3
4
A
B

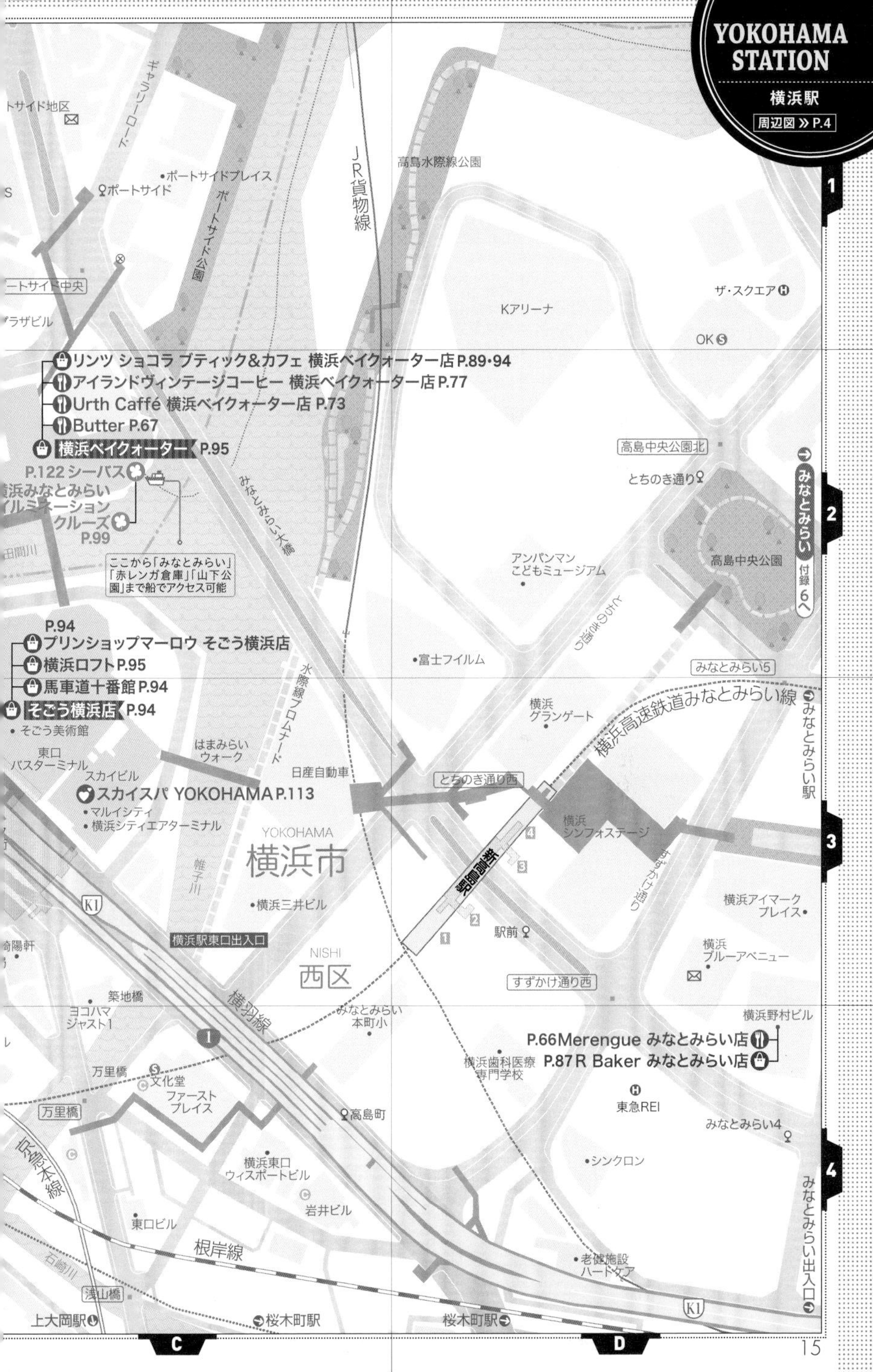
YOKOHAMA STATION
横浜駅
周辺図 » P.4
リンツ ショコラ ブティック&カフェ 横浜ベイクォーター店 P.89・94
アイランドヴィンテージコーヒー 横浜ベイクォーター店 P.77
Urth Caffé 横浜ベイクォーター店 P.73
Butter P.67
横浜ベイクォーター P.95
P.122 シーバス
横浜みなとみらいイルミネーションクルーズ P.99
ここから「みなとみらい」「赤レンガ倉庫」「山下公園」まで船でアクセス可能
P.94 プリンショップマーロウ そごう横浜店
横浜ロフト P.95
馬車道十番館 P.94
そごう横浜店 P.94
スカイスパ YOKOHAMA P.113
P.66 Merengue みなとみらい店
P.87 R Baker みなとみらい店
みなとみらい 付録6へ
JR貨物線
高島水際線公園
Kアリーナ
ザ・スクエア
ポートサイドプレイス
ポートサイド公園
ギャラリーロード
みなとみらい大橋
水際線プロムナード
高島中央公園北
とちのき通り
高島中央公園
アンパンマンこどもミュージアム
富士フイルム
みなとみらい5
横浜グランゲート
横浜高速鉄道みなとみらい線
みなとみらい駅
とちのき通り西
新高島駅
横浜シンフォステージ
すずかけ通り
横浜アイマークプレイス
横浜ブルーアベニュー
すずかけ通り西
駅前
日産自動車
はまみらいウォーク
そごう美術館
東口バスターミナル
スカイビル
マルイシティ
横浜シティエアターミナル
横浜市
西区
帷子川
横浜三井ビル
横浜駅東口出入口
築地橋
ヨコハマジャスト1
横羽線
みなとみらい本町小
横浜歯科医療専門学校
横浜野村ビル
東急REI
万里橋
文化堂
ファーストプレイス
高島町
みなとみらい4
シンクロン
京急本線
横浜東口ウィスポートビル
岩井ビル
東口ビル
根岸線
石崎川
浅山橋
老健施設ハートケア
みなとみらい出入口
上大岡駅
桜木町駅
K1
OK
1
2
3
4
C
D

横浜メインエリア交通ガイド YOKOHAMA Transport

主要な移動手段

鉄道

3路線で観光地をほぼ網羅

観光に便利な路線はみなとみらい線とJR根岸線、横浜市営地下鉄ブルーラインの3路線。横浜中心部の観光スポットはほとんどがこの3路線沿線に集まっていて、最寄り駅から徒歩で行けるところも多い。

みなとみらい線	JR根岸線	横浜市営地下鉄ブルーライン
Point ●みなとみらい地区や馬車道、山下公園、元町、横浜中華街に直結 ●東急東横線、東京メトロ副都心線、東武東上線、西武有楽町線・池袋線から直通運転 主なSPOT 横浜赤レンガ倉庫 横浜ランドマークタワー 山下公園 横浜中華街　など	Point ●JR線沿線からみなとみらい地区や横浜中華街、元町へのアクセスに便利 ●JR京浜東北線と直通運転 ●日中はJR横浜線も毎時6本が桜木町駅まで直通運転 主なSPOT 横浜ベイクォーター コレットマーレ 外交官の家　など	Point ●新横浜駅から乗り換えなしで横浜駅・桜木町駅・関内駅へ直通 ●横浜駅西口では地下通路で百貨店などと直結 主なSPOT 馬車道 野毛 など

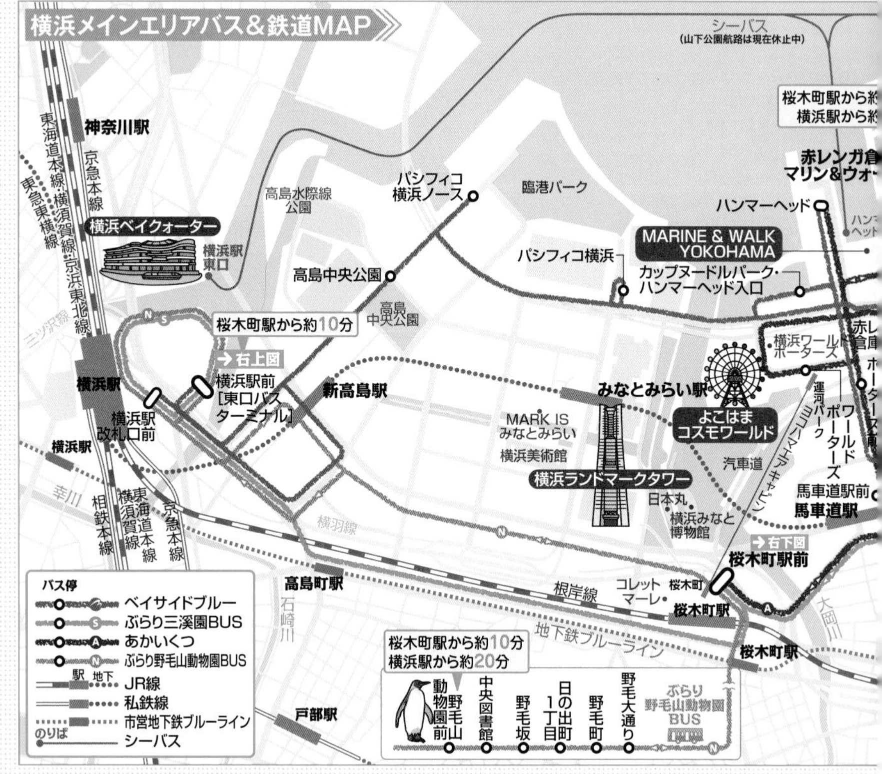

バス

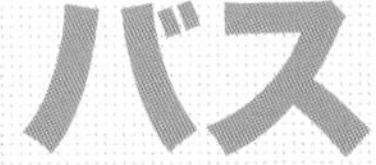

観光系市営バスが便利

運賃　乗車1回　大人　現金¥220 IC¥216

横浜中心部の主要観光スポットをつなぐように走る観光系のバスが便利。いずれも横浜市営の路線バスなので予約は不要、誰でも自由に利用できる。何度も乗り降りするなら1日乗車券がお得。

観光スポット周遊バスあかいくつ

毎日運行

発着　桜木町駅前

主なSPOT
- 横浜ワールドポーターズ
- 横浜赤レンガ倉庫
- 山下公園
- 横浜中華街(朝陽門)
- 港の見える丘公園

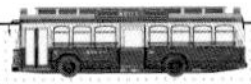

ぶらり観光SAN路線

発着　横浜駅前(東口バスターミナル)

ぶらり三溪園BUS 土・日曜、祝日運行	ぶらり野毛山動物園BUS 毎日運行
主なSPOT ●横浜赤レンガ倉庫 ●山下公園 ●横浜中華街 ●三溪園	主なSPOT ●野毛 ●野毛山動物園

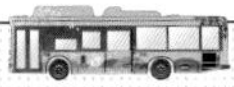

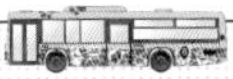

ベイサイドブルー

毎日運行

発着　横浜駅前(東口バスターミナル)

主なSPOT
- パシフィコ横浜
- 山下公園
- 横浜中華街
- 横浜赤レンガ倉庫

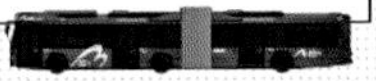

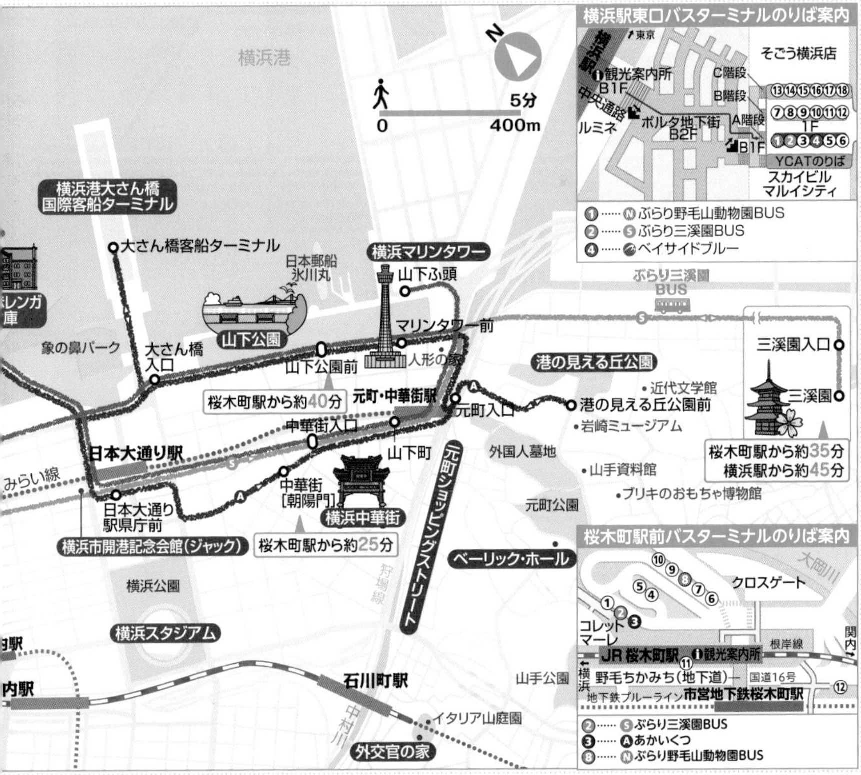

横浜港
N
5分
0
400m
横浜港大さん橋国際客船ターミナル
大さん橋客船ターミナル
日本郵船氷川丸
横浜マリンタワー
山下ふ頭
赤レンガ倉庫
山下公園
象の鼻パーク
大さん橋入口
マリンタワー前
山下公園前
人形の家
港の見える丘公園
桜木町駅から約40分
元町・中華街駅
元町入口
港の見える丘公園前
近代文学館
岩崎ミュージアム
中華街入口
山下町
外国人墓地
日本大通り駅
みらい線
山手資料館
中華街[朝陽門]
横浜中華街
ブリキのおもちゃ博物館
日本大通り駅県庁前
元町公園
横浜市開港記念会館(ジャック)
桜木町駅から約25分
元町ショッピングストリート
ベーリック・ホール
横浜公園
狩場線
横浜スタジアム
石川町駅
山手公園
中村川
イタリア山庭園
外交官の家
ぶらり三溪園BUS
三溪園入口
三溪園
桜木町駅から約35分
横浜駅から約45分
横浜駅東口バスターミナルのりば案内
東京
横浜駅
観光案内所 B1F
中央通路
ルミネ
ポルタ地下街 B2F
C階段
B階段
A階段
B1F
そごう横浜店
⑬⑭⑮⑯⑰⑱
⑦⑧⑨⑩⑪⑫
1F
①②③④⑤⑥
YCATのりば
スカイビル
マルイシティ
①……Ⓝぶらり野毛山動物園BUS
②……Ⓢぶらり三溪園BUS
④……ベイサイドブルー
桜木町駅前バスターミナルのりば案内
大岡川
クロスゲート
⑩⑨⑧⑦⑥
⑤④
①②③
コレットマーレ
JR桜木町駅
観光案内所
根岸線
関内
⑪
横浜
野毛ちかみち(地下道)
国道16号
⑫
地下鉄ブルーライン
市営地下鉄桜木町駅
②……Ⓢぶらり三溪園BUS
③……Ⓐあかいくつ
⑧……Ⓝぶらり野毛山動物園BUS

TRAIN ROUTE MAP[横浜周辺交通図]

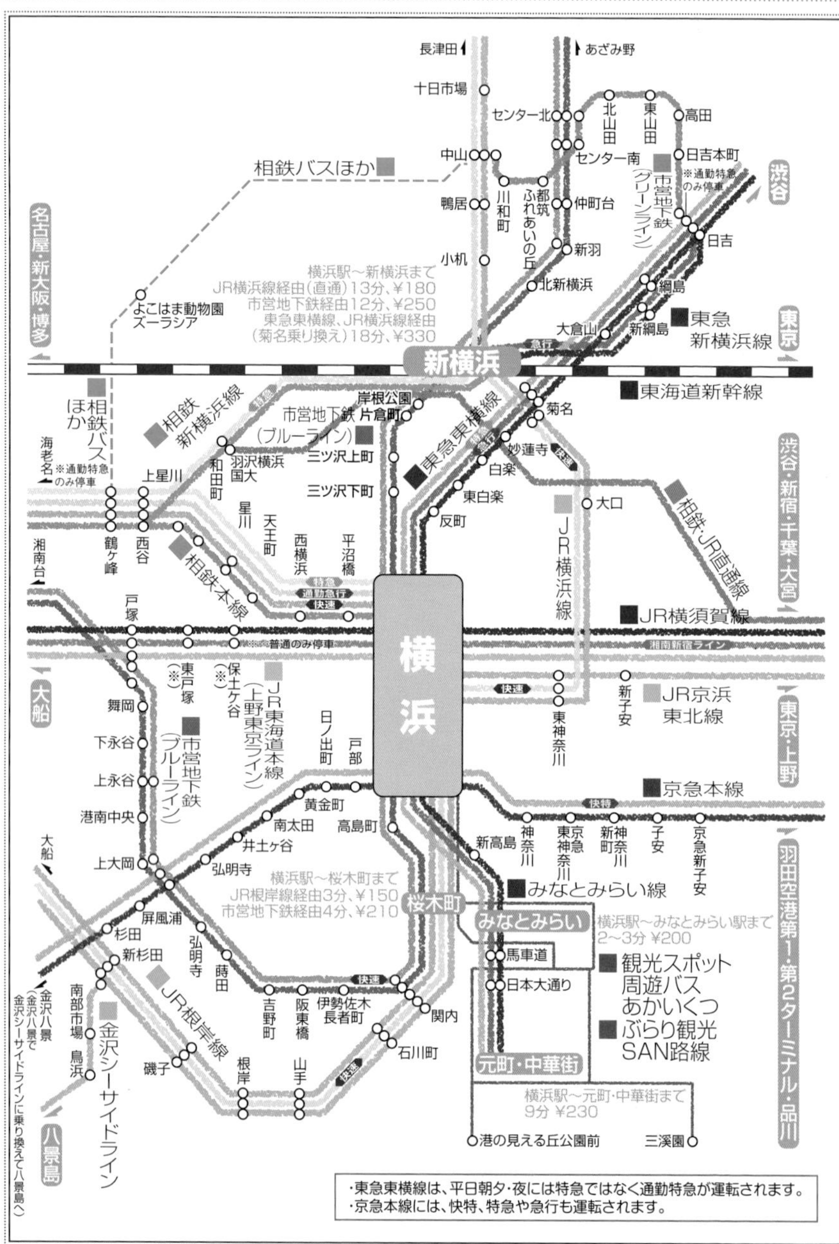

BUS & TRAIN ROUTE MAP［横浜メインエリア交通図］

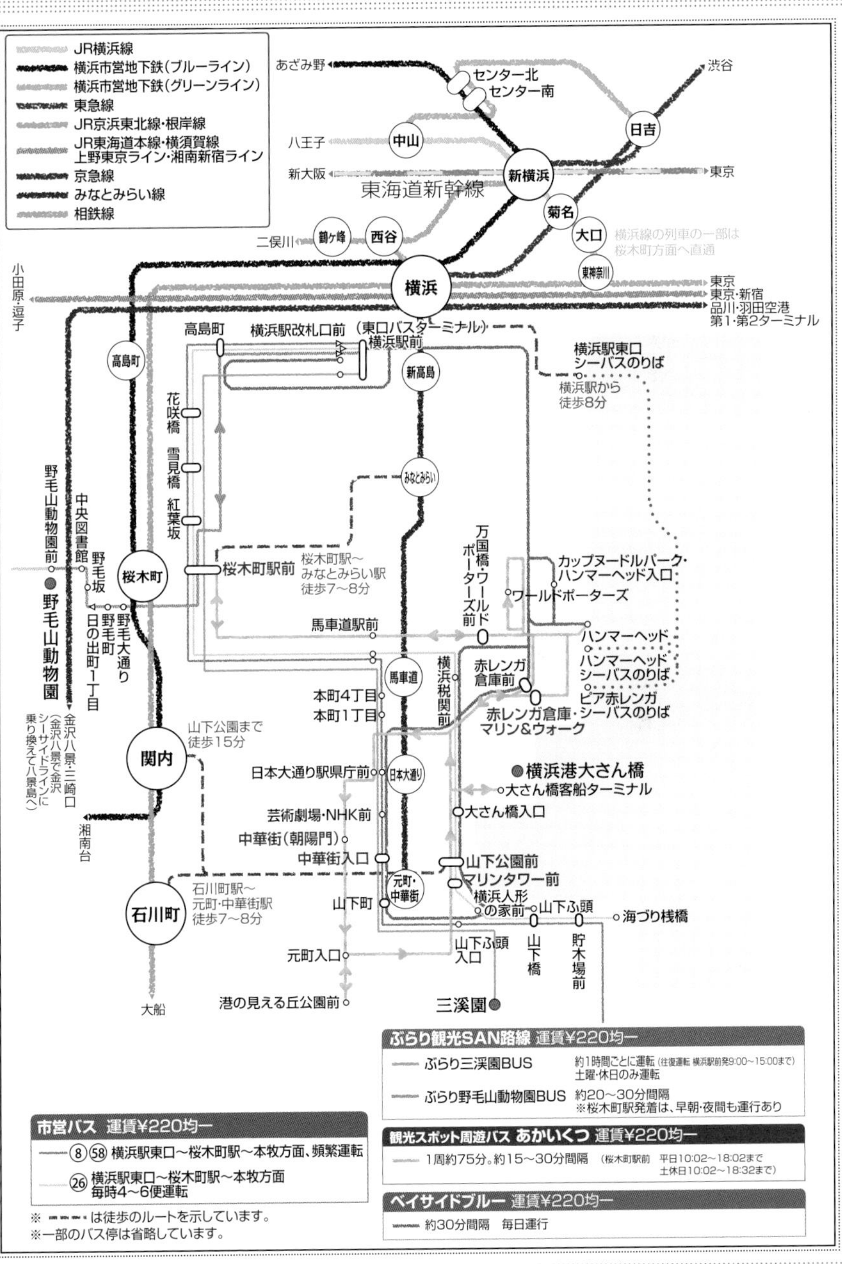

Enjoy
your trip!
COLOR PLUS
YOKOHAMA

My Schedule

– せっかく行くならあれも、これも楽しみたい –

DAY 3

Destination　Transportation

AM
:　Breakfast/

PM
:　Lunch/

NIGHT
:　Dinner/

back home

DAY 2

Destination　Transportation

AM
:　Breakfast/

PM
:　Lunch/

NIGHT
:　Dinner/

STAY

DAY 1

Destination　Transportation

Let's go

PM
:　Lunch/

NIGHT
:　Dinner/

STAY

Memory　思い出を書き留めておこう

Enjoy your trip!

My Baggage

— さぁ、旅へでかけよう —

In Bag

- □ お財布（免許証OK？）
- □ チケット
- □ ハンカチ/ティッシュ
- □ ノート/ペン
- □ ガイドブック
- □ 薬
- □ 雨具

Clothes

- □ /
- □ /
- □ 下着
- □ 靴下
- □ タオル
- □ パジャマ（カイロOK？）
- □ 水着／防寒具
- □ 虫よけ

Amenity

- □ 化粧ポーチ
- □ シャンプー/トリートメント
- □ ボディソープ
- □ 洗顔フォーム/メイク落とし
- □ ハブラシ（メガネOK？）
- □ コンタクト/洗浄液
- □ 生理用品

Gadget

- □ スマホ/ケータイ
- □ カメラ（SDカードOK？）
- □ 充電器/予備バッテリー
- □
- □
- □

Must Do

— せっかく行くならハズせない —

GO
ここ行きたい！

- □
- □
- □
- □
- □
- □

EAT
おいしいもの食べる！

- □
- □
- □
- □
- □
- □

DO
絶対したい！

- □
- □
- □
- □
- □
- □
- □
- □
- □
- □
- □
- □

何もしないもGood!

- □ Do Nothing

PHOTO
写真撮りたい

- □
- □
- □
- □
- □
- □

BUY
これ買おう！

- □
- □
- □
- □
- □
- □

Enjoy your trip!